KB165055

나는
엑스세대

나는 엑스세대

글서 지음 · 정원 그림

커리어북스
CAREER BOOKS

plorogue

나는 1978년생으로 1965~1979년생을 이르는 X세대의 끝자락에 태어났다. 〈2022년 트렌드 코리아〉에서 김난도 교수는 X세대의 핵심을 1970년대생인 '엑스틴_X-teen'이라고 정의했다. 경제적·문화적으로 풍요로운 10대를 보낸 엑스틴은 10대인 자녀와 풍요로웠던 그 시절을 함께 공유하는 세대이다.

생각해 봤다. 나의 10대가 풍요로웠다고? 소비자학에서 경제적·문화적인 풍요로움을 누린 세대에 내가 속한다니 솔직히 놀라웠다. 내 어린 시절이 풍요로웠다고 생각해 본 적이 없다. 다만, 부족한 점을 느끼지 못한 것은 나의 낙천적인 성격 탓이라고 생각해 왔다. 그런데, 우린 알지 못하는 사이 다른 세대에 비해 많은 것을 누렸던 걸까?

이상한 것은 이렇게 생각하니 뭔가 하나, 둘 떠오르기 시작했다는 것이다. 고이 접어두었던 기억의 편린을 하나하나 펼치니 '신남'이 나온다. 어린 시절 팔랑팔랑 뛰어다니며 여기저기 밝은 미소를 발산하던 내 모습은 어디 갔을까? 그렇게 그늘에 묻혀버린 말랑말랑한 내 어린 시절을 하나씩 들춰내어 화사하고 따뜻한 빛을 쬐어주고 싶다.

그렇게 두 번째 에세이를 시작한다. 어린 시절을 함께 들춰내어 준 일러스트 정원에게 감사의 마음을 전한다. 그리고 늘 나의 동심에 햇살을 내고 바람을 불어주는 나의 작은 귀염둥이 딸과 아들에게도 고마운 마음이다.

그랬다. 난 풍요로운 어린 시절을 보낸 엑스틴이다! 그렇게 다채로운 추억으로 어린 시절을 다시 채워본다. 이 책이 X세대에게는 우리만의 추억을 나누고, 다른 세대에게는 X세대 중에서도 풍요로웠던 엑스틴_X-teen의 성장기를 공유하는 매개체 역할을 했으면 한다.

이렇게 동심으로 이어진 나의 두 번째 에세이를 시작해 보련다. 첫 번째 에세이인 〈나는 나를 위로한다〉의 키워드가 '위로'였다면, 이번 에세이의 키워드는 '추억'이다.

에세이의 구성은 어린 시절의 에피소드와 청소년기 이후의 에피소드를 번갈아 가며 구성했다. 그렇게 어린 시절의 추억과 대학쯤 어른 흉내를 내던 시기의 추억을 함께 되새겨보았다. 그 추억이 부디 발랄하고 행복하게 전달되었으면 하는 마음으로 시작해 본다.

나는 엑스틴_X-teen이다.

목차

에메랄드빛 바람떡

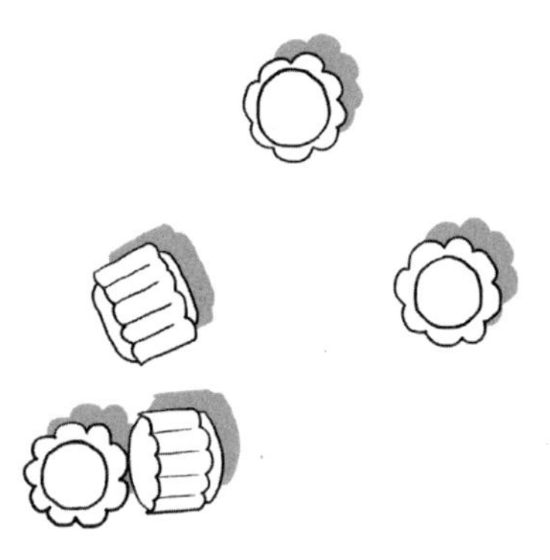

• 어린 시절 나는 그림을 잘 그린다는 칭찬을 종종 받았다. 일곱 살, 여덟 살은 크레파스로 찍찍 그려 형상만 나타내도 칭찬을 받는 나이다. 그래서인가? 어쭙잖지만, 난 그림 그리는 것을 좋아했다. 스케치북에 크레파스를 꾹꾹 눌러 그림을 그리는 나의 3학년 기억에는 화사한 햇살도 함께 있다. 교실에 들어오는 알 수 없는 따뜻한 기운의 화사한 햇살과 함께 크레파스로 그림 그리는 장면에는 크레파스의 독특한 향기와 함께 행복이라는 단어가 함께한다.

바야흐로 초등학교 3학년 때의 일이다. 이렇게 행복했던 미술 시간에 충격적인 사건이 터진다. 바로 옆 친구가 크레파스 36색을 펼친 것이다. 전에는 기껏해야 24색이었다. 주위를 살펴보니, 48색을 펼친 친구도 있었다.

"크레파스 색깔이 엄청 많다."

입을 벌리고 감탄하는 내게 친구는 별거 아니라는 듯이 말한다.

"응, 삼촌이 선물로 사주셨어."

"좀 봐도 돼?"

친구의 허락에 나는 내게 없는 크레파스 색깔들을 찾아내었다. 그중 눈에 띄는 색상이 있었으니 다름 아닌 에메랄드빛 색상이었다. 색상 이름이 정확하게 '에메랄드빛'이라고 적혀 있었다. 그 뒤로 난 에메랄드빛과 사랑에 빠졌다. 미술 시간 내내 머릿속을 떠나지 않는 에메랄드빛 크레파스는 그 시절 내게 부의 상징이었다.

'와~ 어떻게 저런 색이 있을까?'

그림은 그리는 둥 마는 둥 하며 옆 친구의 에메랄드빛 크레파스에 자꾸만 눈이 간다. 순간 그 친구가 에메랄드빛 크레파스를 들고 쓱쓱 칠하기 시작했다. 아주 조그마한 사람 티셔츠를 색칠하고는 다시 내려놓는다.

국민학교의 에메랄드색은
초등학교의 엷은 녹색으로
이름이 변경되었다.

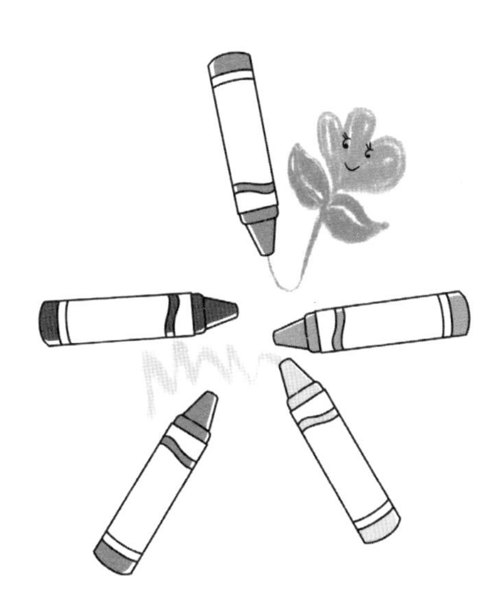

분홍색 크레파스가 다 닳으면 빨간색과 흰색을 적당히 섞으면 분홍색이 나온다. 하늘색도 파란색과 흰색을 섞으면 어쭙잖게 표현할 수 있다. 그러나 에메랄드빛은 하늘빛에 초록빛이 살짝 돌면서 흰색도 가미된 것 같은 그 색은 어떻게 색깔을 섞어도 나오지 않았다.

에메랄드빛이 들어간 36색의 커다란 크레파스를 가진 그 친구는 에메랄드빛 크레파스를 쓰지 않았다.

"에메랄드빛은 안 써?"

궁금했던 나는 넌지시 물어봤다.

"응! 난 이거 별로야!"

"그래? 그럼 나 한 번만 써봐도 될까?"

"그래!"

그렇게 써보고 싶었던 크레파스를 살며시 빌려서 소심하게 아주 작은 원을 색칠했다. 에메랄드빛이 내 스케치북 위에서 자신의 에메랄드빛 색깔을 영롱하게 드러냈다. 어떻게 이 색이 있는데 다른 색이 눈에 들어오냔 말이다! 그렇게 한번 빌려 색칠한 에메랄드빛 크레파스를 두 번은 빌려달라 하지 못했다. 에메랄드빛은 초등학교 시절의 내 마음속에 그냥 저장해야 했다.

이듬해 엄마와 함께 간 문구점에서 나는 엄마에게 36색을 사달라고 조심스레 졸랐다. 소심한 성격에 마구 울며 바닥에 드러눕는 것도 해보지 못한다. 말 한 번 하는 것이 내가 표현하는 전부였다. 엄마는 크레파스는 다 똑같다며 그냥 사주던 것을 집어 들었다. 18색이었는지 24색이었는지 기억나지 않는다. 다만, 여기에는 에메랄드빛 색상은 없었다. 에메랄드빛 다음으로 좋아했던 홍매색이 있는 것으로 그냥 만족하기로 했다. 빨간색과 흰색에 또 하나의 색상이 들어간 것 같은 홍매색도 섞어서는 표현이 어려운 크레파스 중 하나였다.

○

올해 초등학교 2학년이 된 딸은 자기 전에 나의 말도 안 되는 〈옛날이야기〉 듣는 것을 좋아한다. 대충 그날 있었던 이야기와 옛날이야기를 짜깁기한 넋두리 같은 이야기다. 오늘은 토끼 인형과 호랑이 인형이 함께 떡집에 간 이야기를 했다. 배달의 민족 앱으로 떡을 보여주며, 이야기를 시작한다.

토끼와 호랑이는 오늘 떡집으로 놀러 갔어요. 호랑이는 토끼에게 물었어요.

"넌 무슨 떡을 먹을 거니?"

꿀떡, 바람떡(개피떡), 호박떡, 찰떡, 가래떡, 쑥개떡, 인절미를 쭉 살펴보고 토끼가 반짝거리는 눈망울로 말했어요.

"응! 난 바람이 후 들어가 있는 바람떡을 먹을 거야!"

"바람떡은 바람이 들어가 있어?"

호랑이가 깜짝 놀라 물었어요. 토끼는 이런 것도 모르냐는 듯한 표정으로 말했어요.

"넌 이걸 아직도 몰랐구나? 달님이랑 바람이랑 만나서 만든 떡이 바람떡이야! 그래서 모양이 달님 모양이고, 바람이 들어가서 배가 빵빵하잖아."

아홉 살 딸의 눈이 휘둥그레지며 배달의 민족 앱의 바람떡에 눈이 꽂힌다.

"엄마! 바람떡에는 바람이 들어가 있어? 어떻게 바람을 넣었어?"

"그건 떡집 아저씨만 아는 비밀이야! 다들 알면 바람떡을 누가 사 먹겠어? 집에서 만들어 먹지!"

이런 즉석에서 지어내는 말도 안 되는 동화를 딸아이는 좋아한다. 동화를 들려주는 것은 아직도 산타 할아버지에게 편지를 쓰는 딸아이의 동심을 지켜주고 싶은 마음이 있기 때문이다. 별 뜻 없이 지어낸 동화였는데, 다음 날 아침 딸아이는 휴대폰으로 그림을 끼적인다. 올망졸망 작은 손가락으로 그림 그리는 딸의 주변에 나의 초등학교 3학년 교실에서 느꼈던 따뜻한 햇살이 모인다. 그렇게 그린 그림을 환한 얼굴로 내게 내밀어 보니 휴대폰 화면에는 접시에 바람떡이 세 개나 담겨 있다. 하나는 레몬색, 하나는 분홍색 그리고 나머지 하나는 에메랄드빛이다.

“오! 에메랄드빛이네. 이 색깔이 마음에 들었어?”

“응! 난 에메랄드빛 색깔이 좋아!”

그렇게 에메랄드빛 색깔이 좋다는 딸에게 새 학기에 36색의 크레파스를 선물해 줬다. 30년이 넘게 흘렀는데도 크레파스 색상은 변하지 않았다. 그리고 ‘옅은 녹색’으로 이름이 변한 에메랄드빛 크레파스를 가리키며 딸아이에게 말해준다. 엄마가 가장 좋아하는 색깔이었다고…. 너도 네가 좋아하는 색깔을 찾길 바란다고 말이다. 내겐 에메랄드빛 색상이 추억의 한편에 있으니 말이다.

"초등학교의 에메랄드 추억은
딸의 바람떡 그림과 함께
또 다른 추억으로 빚어진다."

바람떡은 달님과 바람이 만든 떡이야.

그래서 달님 모양에 바람이 들어가 있어

배가 빵빵하잖아.

반항의 끝, 우린 X세대!

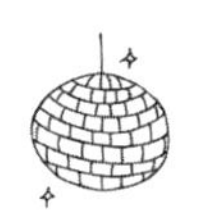

• 우여곡절 끝에 대학에 입학했다. 나는 대학에 가지 않겠다고 버텼다. 우리나라 교육제도가 마음에 들지 않는다는 지금 꼰대가 되어서 생각해 보면 말도 안 되는 헛소리를 지껄였던 것 같다. 이것도 X세대의 특징이었을까? 우린 쓸데없이 반항적이었다. 당시의 BTS였던 서태지와 아이들의 '교실 이데아'에도 '이제 그런 가르침은 됐어'라고 나온다.

아버지는 그런 날 침착하게 설득했다. 당시 가장 기억에 남는 아버지의 한마디는 '뒷문으로 들어갔다 뒷문으로 나와도 대학은 무조건 나와야 한다'라는 것이었다. 그렇게 공부하라는 강요를 하지 않겠다는 약속을 받은 후에야 두 군데에 원서를 냈고, 다행히 모두 합격했다.

지금 생각하면 사회에 나와서 그나마 대학 졸업장이라도 있으니 뭘 하는 것 같다. 이후의 인생에서 대학 졸업장은 내게 많은 이점을 가져다주었다는 것에 대해 부인하지 않겠다. 대학 졸업장은 아버지의 말씀처럼 인생을 살면서 내게 꼭 필요한 것 중 하나였다. 그러나 사춘기와 성인의 어중간한 Stupid 시기에는 그것을 몰랐으리라! 세상에 대한 반항의 시기였던 걸까? 아직 미성숙했던 나의 모습은 무지와 아집으로 둘러싼 저 멀리 빛나지도 못하는 소행성 같은 느낌의 그 무엇이었다.

아버지는 말이 없으신 분이다. 아빠라는 호칭이 선뜻 나오지 않는 가족 간에 사회적 거리 두기가 확실했던 '부'께서 그렇게 침착하게 나를 설득하신 두 번째 일이 있었다. 인기 드라마로 김희선의 폭탄 머리가 유행하던 시절, 염색에도 관심 없던 나는 모아 둔 용돈을 들고 미용실에 갔다. 장장 4시간에 걸쳐 파마를 마치고 나왔을 때 길가에 있던 모든 사람의 시선이 내게 꽂혔다. 그렇게 튀는 게 싫었던 나인데, 이 헤어스타

일은 정말 마음에 들었다. 폭탄 머리를 하고 집에 들어간 나를 보고 아버지는 별말씀이 없으셨다. 그러다 3일 후에 나를 불러 앉히고 침착하게 말씀하신다.

"머리 묶고 다니면 용돈 50% 올려줄게!"

그런 아버지에게 지금의 용돈으로도 충분하다며 방으로 들어가 버렸다. 그렇게 반년 정도 내 머리는 벼락 맞은 것 같기도 하고, 미친년 같기도 한 그런 상태였다. 머리를 감고 말리면 머리카락 한 올 한 올이 360도 사방으로 나풀거렸다. 그 기분은 뭐랄까…. 머리카락이 뻗은 방향만큼 사방으로 자유로운 느낌이랄까?

자유로운 머리에는 자유로운 복장이 어울렸다. 위에는 붙어도 딱 들러붙는 쫄티에 바닥까지 끌리는 힙합바지를 입고 내 사이즈 1.5배나 되는 운동화를 질질 끌고 다녔다. 엄마의 말을 빌리자면 '그지 패션'이었다. 친구들 사이에서는 빈티지 바지와 운동화가 인기였다. 힙합이고 찢어졌는데, 또 빈티지한 것이 어른들이 보기에는 충분히 이상해 보였으리라! 아버지의 설득이 없었다면 다니지도 못했을 대학 캠퍼스를 마치 자의로 들어온 양 난 그렇게 자유롭게 캠퍼스를 누볐다.

나중에 안 사실이지만, 인간의 뇌는 전두엽이 가장 늦게 발달한다. 어쩌면 파충류의 뇌가 발달하는 사춘기 시절의 Stupid 행동은 당연한 것이리라! 이쯤 되면 X세대가 반항적이었던 것이 아니라, 사춘기 시절이 반항적이었다는 생각이 들기도 한다.

그러나 믿고 싶다. 우리는 정형화되고, 형식적이었던 고정관념의 틀에 대해 X세대의 목소리를 충분히 담길 원했다. 다분히 보수적이고 다양하지 못했던 당시의 사회적 분위기와 문화는 X세대의 니즈를 모두 수용하기에는 버거웠다. 다양한 틀을 만들고자 했던 X세대의 노력은 현재의 문화에도 많은 영향을 미쳤으리라 본다. 그렇게 자유로움을 만끽했던 그 시절은 정형화된 회사원을 그만두고, 글을 쓰고 강의하는 자유로운 직업을 선택한 지금의 나를 만들기도 했으니 말이다.

여담이지만, 나는 그때 공부하지 않은 대가를 이후의 삶에서 톡톡히 치렀다. 워킹맘으로 일하며, 10년을 더 공부해야 했다. 그 과정은 이루 말할 수 없을 만큼 힘든 과정이었다. 학생 때는 공부만 하면 될 것을 아이 키우며, 일하며, 집안일까지…. 벌서는 상황도 이것보다는 나을 것이다. 이론 수업을

폭탄 머리에 힙합바지를 입던 X세대가
40대가 되었다고 해서 얌전할까?
우린 아직도 여전히 X세대인데 말이다.

녹음해서 무선 이어폰으로 들으며 설거지하는 상황을 상상이나 하겠는가?

그래서 이제는 아버지가 내게 했던 말을 아들에게 한다.

"무슨 일이든지 다 때가 있다. 공부도 할 때 해야 한다."

꼰대는 어느 날 갑자기 되는 것이 아니다. 20대의 자유로움을 경험하고 이후에 자신의 인생에 책임을 져야 한다는 것을 느끼는 순간 꼰대가 된다. 그래서 X세대는 자유로움도 알고 책임도 아는 꼰대가 되었다.

“지금의 나는
가끔 아이들과 거실에서 막춤을 추는
발랄한 엄마가 되었다.
그 흥이 어디 갔을까?”

대학 캠퍼스는

상상했던 것보다

훨씬 더 낭만적이었어!

개구리 반찬, 살았니?

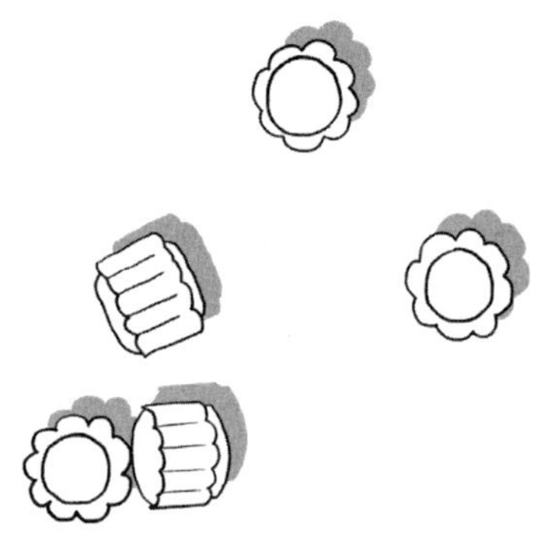

• X세대 이야기에서 초등학교 개구쟁이들의 이야기를 꺼내지 않을 수 없겠다. 4학년쯤이었던 것 같다. X세대는 급식이 아닌 도시락 세대이다. 도시락은 엄마에게는 정성이 들어가야 하는 여간 어려운 일이 아니었겠지만, 그 도시락을 먹는 우리는 수많은 추억이 담긴 매개체이기도 하다.

점심시간까지 기다리지 못하고 쉬는 시간에 누군가가 도시락을 까먹기라도 하면, 교실 전체에 퍼지는 은은한 반찬 냄새와 배 속의 꼬르륵 소리는 항상 함께하는 교집합이었다. 도시락을 가져오는 것을 잊은 친구를 위해 헐레벌떡 학교로 달려온 친구 엄마의 화장기 없는 맨얼굴을 수업 시간에 마주하기도 했다. 따끈한 도시락을 가져다주기 위해 점심시간쯤 교문 앞까지 찾아오는 열성적인 엄마도 있었다. 도시락은 그렇게 X세대의 추억과 함께한다.

오늘도 점심시간에 도시락을 먹으려고 친구들과 책상에 앉아 도시락을 열고 있었다. 도시락을 먹을 때 책상이 좁아 앞자리 친구의 책상과 맞붙여서 자리를 넓히고 앉았다. 맛있게 먹으려는데, 같은 반 남자친구가 도시락을 들고 우리에게 다가왔다.

"맛있는 반찬 있는데, 같이 먹을래?"

반찬이 뭐냐고 묻지도 않았는데 남자아이는 음흉하게 씩 웃으며 자신 있게 도시락을 열어젖힌다.

"으아아!"

도시락 안은 밥풀 하나 없이 깨끗하고, 갓 지은 밥이 있었던 자리를 티 내듯이 도시락 안쪽에 이슬이 총총 맺혀있을 뿐이다. 그 사이에 장수풍뎅이 한 마리와 사슴벌레 한 마리가 마주보고 자리잡고 있다. 여자아이들은 기겁하며 뒤로 나자

개구쟁이 친구들은
나무에 잘도 올라가
장수풍뎅이와 사슴벌레를 잡아왔다.

빠진다. 그걸 본 남자아이들은 배를 잡고 껄껄 웃어젖힌다.

"하하하! 야, 사슴벌레 처음 보냐?"

혼비백산한 여자 친구들 사이에서 남자 친구는 사슴벌레와 장수풍뎅이를 조심스럽게 추스르기 바쁘다. 도시락 너머로 나가려는 사슴벌레와 장수풍뎅이를 그 작은 손으로 다치지 않게 조심스럽게 잡아, 다시 도시락 뚜껑을 살짜쿵 덮는다. 섬세한 손동작에 얼마나 집중하는지 앙다문 입술 사이에 장난기 어린 표정은 이미 온데간데없다.

도시락은 어느새 다 먹고 점심시간이 되자 나무에 올라가 사슴벌레와 장수풍뎅이를 잡아 온 것이다. 부지런하기도 하지! 도시락 안의 사슴벌레와 장수풍뎅이를 본 다른 남자아이들은 자기도 잡아 오겠다며 교실 밖으로 우르르 몰려 나갔다. 그렇게 그 시절 남자아이들은 시도 때도 없이 나무에 붙어 있었다.

"집에 가냐?"

하교할 때 간혹 나무 위에서 인사를 해 또 놀라게 했다.

○ 이제 개구쟁이들 대신에 내겐 초

장수풍뎅이는
총 3령의 애벌레 기간을 보내는데,
대략
1령은 15일,
2령은 19일,
3령은 120일 정도의 기간이
필요하다.

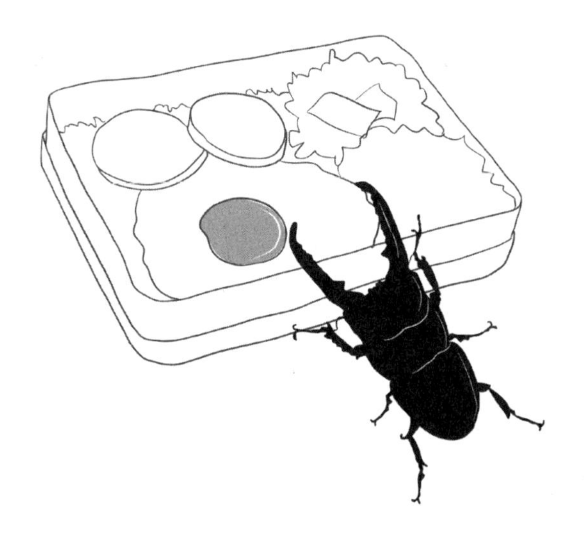

등학교 4학년의 장수풍뎅이를 키우는 아들이 있다. 도시락 안의 장수풍뎅이를 보며 혐오 표정을 짓던 여자아이는 30년 후에 초등학생 아들이 보여주는 손가락 한 마디보다도 더 큰 장수풍뎅이 애벌레를 함께 바라보고 있다. 애써 웃음 짓는 엄마에게 아들은 친절하게 설명한다.

"우와 아들! 이렇게나 컸어?"

"엄마, 이게 1령 애벌레야! 이건 3령 애벌레고…. 장수풍뎅이가 되려면 6개월은 기다려야 해!"

"아들, 그런데 애벌레가 왜 털도 있니?"

꿈틀꿈틀…, 대박이다! 마음속으로는 대환장 코스프레지만, 아들 앞에선 나도 신기한 듯 바라본다.

아들의 장수풍뎅이는 나무 위에 살던 X세대의 장수풍뎅이와는 달리, 택배를 타고 우리 집으로 왔다. 첫 번째 장수풍뎅이는 혼자 있어 외롭다며, 아들은 암컷 한 마리를 더 요구했다. 아들이 먹이 젤리를 열심히 준 덕인지 알을 백 개나 깠다. 그렇게 나온 애벌레가 1령 애벌레도 있고, 3령 애벌레도 있을 정도로 아들의 방 한쪽 구석엔 장수풍뎅이를 사육하는 상자가 3개가 되도록 쑥쑥 자라났다.

그러고 보니 X세대 시절에는 풍요로웠다. 장수풍뎅이, 사슴벌레, 송충이까지 없는 곤충이 없을 정도로 많았다. 점심시간에 쉽게 잡을 정도의 개체 수가 늘 있었고 아이들은 그것을 즐겼다. 그런 X세대의 풍요로움을 아들은 알지 못하겠지! 순간 장수풍뎅이를 사랑하는 아들과 그 시절 개구쟁이 남자 친구들이 겹쳐진다.

"딸아이를 데리러 간 초등학교 앞에서
아이들이 굵은 나무줄기 위에
나란히 앉아있다.

나무타기는 X세대의 전유물은
아니었나 보다…."

사슴벌레와 장수풍뎅이가

싸우면 누가 이길까?

보온 도시락 FLEX!

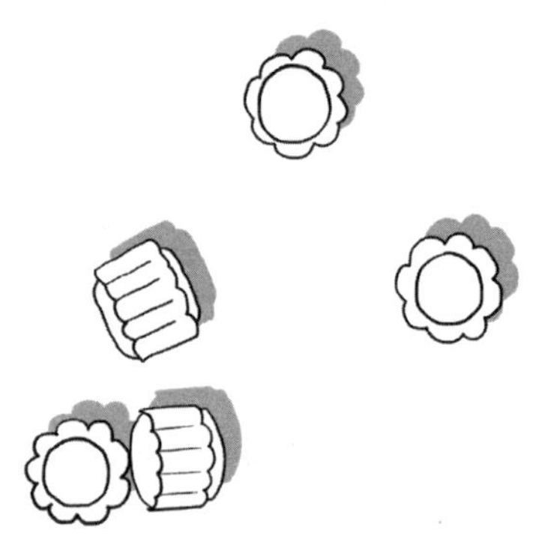

• 아침에 여유가 되면 늘 '이현우의 음악캠프'를 듣는다. 재즈며 대학 시절 듣던 김동률의 노래까지 들려오는 커피 향의 선율에 마음을 차분히 하며 글을 쓰기에 제격이다. 이 프로그램의 또 다른 매력은 그날 꽂히는 주제가 하나 떠오르면 그 주제 하나로 아침 한 시간 동안 시청자들과 DJ가 다양한 이야기를 나눈다는 것이다. 평소에는 시시했던 주제도 물망에 오르면 세상 진지한 궁서체로 변한다. 전국의 가지각색 사람들이 모여 하나의 소소한 주제로 이야기하다 보면 빵빵 터지는 황당한 의견도 많다.

예를 들면, '보이는 라디오'를 통해 보이는 DJ의 옷 색상이

녹색인지, 연두색인지, 에메랄드빛인지, 노란빛 나는 초록인지에 관해 1시간 이상 토론을 펼치는 그런 내용이다. 이런 소소한 주제를 통한 이야기는 커피 향의 선율과 함께 부담스럽지 않아 좋다. 브런치처럼 아침에 가볍게 듣는 라디오 프로그램이다.

그날 아침 주제는 X세대의 '난로 위의 도시락'이었다.

"그쵸? 저희 어렸을 때는 난로 위에 도시락을 얹어 놨어요. 그러면 맨 아래 있는 도시락이 탈 수 있으니까 쉬는 시간에 주번이 장갑을 끼고 맨 아래 있는 도시락을 맨 위로 올리고 하는 작업을 했었어요. 기억이 새록새록 나네요"

나도 X세대인데…, 아무리 기억해봐도 난로 위의 도시락은 기억에 없다. 두 살 많은 언니에게 물어봤다.

"언니! 초등학교 다닐 때 난로 위에 도시락 올려놨던 기억이 있어?"

그러자 언니는 당연하다는 듯이 말한다.

"응! 밥이 차가우니까 난로 위에 올렸었잖아. 왜? 넌 기억 안 나? 그래서 쉬는 시간에 애들이 장갑 끼고 맨 아래 있는 밥을 위로 올렸어. 계속 아래 두면 밥이 타니까…."

언니의 말과 라디오에서 들은 말은 거의 판박이였다. 순간 기억났다. 초등학교 4학년 때부터 가지고 다닌 도시락은 보온 도시락이었다. 나의 첫 겨울 도시락은 난로 위의 도시락이 아닌 보온 도시락이다. 그러니 내게 누군가 난로 위의 도시락을 말한다면 기억이 올라오지 않았던 것이다. 이런 혜택(?)을 받고 자랐다고 생각하지 못했다. 그걸 깨달으니 느낌이 이상했다. 두 살 터울 언니와도 세대 차이가 있다니…. 결국 이것이 엑스세대 중 더 풍요로운 어린 시절을 보낸 엑스틴의 특성인 것이다.

◦ 초등학교 4학년 때의 일이다. 한 친구가 핑크색의 동글동글하고 귀여운 보온도시락을 가져왔다. 반찬통과 밥통도 어찌나 작던지 꼬마 주방 세트처럼 보였다. 그 도시락은 나의 투박한 사각형 감색 체크무늬 도시락과 상당히 대비되어 보였다.

"네 도시락 너무 예쁘다, 어디에서 샀어?"

"우리 아빠가 사우디아라비아에서 사 오셨어!"

사우디아라비아? 2학년 때 선생님께 혼나며 외웠던 나라

중 기억은 나는데 정확하게 어디 있는 나라였는지 기억나지 않았다. 다만, 사막이 있는 더운 나라라는 것은 확실했다.

"그래? 그 나라는 더운 나라인데 보온 도시락을 팔아?"

"그런가 봐! 나도 잘 모르겠어."

친구가 보여준 도시락의 밑바닥에는 알 수 없는 꼬부랑글씨가 적혀 있었다. 난 너무나 부러웠다. 그 보온 도시락은 우리 반의 유일한 핑크색 도시락이었다. 도시락을 먹을 때마다 계란말이가 3~4개밖에 들어가지 않는 그 작은 반찬통에서 친구는 포크 숟가락으로 계란말이를 잘도 찍어냈다.

어느 날, 그 친구의 집에 놀러 갔다. 휴대폰이나 전화가 없던 시절이니, 친구 엄마는 딸의 친구가 놀러 올 것이라는 걸 미리 알지 못했다. 문을 열고 들어가니, 아래로 부엌이 보였다. 부엌의 시멘트를 걸어 들어가서 부엌의 끝에 네모나게 솟은 구들장에 신발을 벗고 올라앉으면 장판이 깔린 방바닥이었다. 부엌과 방 사이에 벽도 문도 없었다. 당황한 내게 친구의 엄마는 덮고 있던 이불을 들어 올리며 이리로 올라오라고 하셨다. 거기에 앉아 라면을 먹었던 것 같다.

그땐 잘 몰랐다. 친구의 아버지가 왜 사우디아라비아에 갔

보온 도시락은
맨 아래 국통이 있고, 그 위에 밥통이,
그리고 맨 위에 반찬통이 있었다.
뜨거운 기운으로 시어버린 김치 냄새와
뜨끈한 국에 밥을 말아 먹던 때가 생각난다.

는지, 그리고 그 친구의 집에 왜 벽이 없는지…. 지금 생각하면, 반지하 방이었던 것 같다. 그랬다. X세대의 부모님 세대는 치열하게 먹고 살길을 개척하는 세대였다. 지금 생각해보면, 그 친구의 아버지는 사막의 건설 현장 등에서 일하는 노동자였던 것 같다. 그렇게 치열하게 먹고 살길을 찾은 부모님은 우리에게 핑크색 도시락과 같은 혜택을 제공했다. 그래서 X세대의 마지막에 태어난 엑스틴부터는 난로 위의 도시락을 알지 못하는 것이다.

치열하게 '새마을 운동'을 하던 부모 세대의 노력으로 X세대는 좀 더 자유롭고 편안한 직업을 선택할 수 있게 되었다. 그러나 무엇이든 쉬운 일은 없다. 특히 경력과 연륜이 조금 더 쌓이는 중년은 경쟁이 더 치열하다. 그렇게 우리는 또 부모님의 세대와는 다른 방식으로 치열하게 경쟁하며 살아간다. 스마트폰과 유튜브를 보며 자라는 나의 아이들 또한 그것이 X세대가 나누어 준 혜택인 줄 나중에 알게 될까?

"보온 도시락을 사용하기 시작한 것은
엑스틴이 받은
가장 큰 혜택 중 하나이다."

엑스틴 세대는 난로 위의

도시락을 몰라!

대신 사랑스러운

핑크색 보온 도시락은 알지.

X세대는 얼리어답터

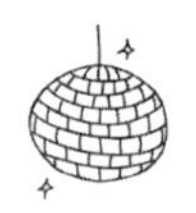

• 그렇게 들어간 대학은 우리 집에서 10분 거리의 국립대였다. 넓고 멋진 캠퍼스를 자랑하는 학교에 Stupid 상태로 입학한 나는 1학년 2학기 시간표를 개발새발 짜는 실수를 범한다. 몰랐다! 시간표는 시간만 보는 게 아니고 장소도 봐야 한다는 것을…. 1교시가 사범대에서 끝나면 2교시는 공대에서 시작한다. 사범대는 대학 후문 쪽에 있었고 여기에서 하나의 언덕을 올라가면 있는 공대는 천천히 걸어가면 15분 정도의 거리였다. 쉬는 시간 10분에 간신히 맞출 수 있었지만 비탈진 언덕길의 바빠진 걸음걸이는 항상 헐떡임을 유발했다. 2교시가 사범대에서 끝나면 한 시

간 공강이 있고 4교시는 농대에서 시작한다. 농대는 정문 끝에 있어 공대에서 천천히 걸어가면 20분 정도 소요되는 거리였다. 평지이지만 사범대에서 공대 가는 거리의 2배였다. 전국에서 여덟 번째 넓은 캠퍼스를 자랑하는 우리 학교의 전 지역을 후비며 다녀야 할 정도의 일정으로 시간표를 짠 것이다. 덕분에 같이 등록한 친구들도 함께 뛰어야 했다. 그렇게 2학기를 보내고 나니 내 생에 처음으로 아랫배가 없는 시대를 맞이한다. 고3 때 차곡차곡 축적시킨 나의 지방들과 '아듀' 하는 시간이 될 만큼 2학기 시간표는 험난했다.

이렇게 넓은 캠퍼스는 우리로 하여금 삐삐의 필요성을 각인시키기에 충분했다. 주로 '어디 있니?', '얼마나 걸리니?' 등 간단한 질문과 그에 대한 답이었다. 그래서 우리는 수업이 끝나면 서로에게 삐삐를 쳤다. 이쯤 되면 다른 학생들도 마찬가지일 터…. 점심시간의 교내 식당 앞 공중전화부스는 늘 인산인해를 이루었다.

이쯤에서 MZ 세대를 위해 삐삐에 관한 부연 설명이 필요해 보인다. 삐삐는 송신은 되지 않고 수신만 되는 단방향 통신기기로 수신받으면 삐삐 소리가 나서 비퍼(Beeper)라는 명칭으로도 사용했다. 한 줄 정도의 텍스트를 표시할 수 있고 수신받으면 전화번호나 메시지가 표시된다. 그래서 메시지를 받은 사람은 전화나 공중전화를 이용해서 음성 메시지를 듣거나 수신된 전화번호로 전화하면 연락이 되었다. 국내에서는 1983년부터 서비스가 제공되었으며 1990년대 중반을 기점으로 보편화되었다. 전성기인 1997년에는 한국의 4,500만 인구 중 사용자가 무려 2,000만에 달했다고 하니 97학번인 나는 삐삐 시대의 정점을 함께 셈이다.

다 좋다! 그런데, 삐삐가 오면 길고도 긴 공중전화부스에서서 기다리고 음성메시지을 확인하고 또 상대방에게 메시지를 남기면 상대방이 확인하고 보낸 2차 음성 메시지를 또 확인하러 가야 하는 정말 번거로운 과정이 반복되었다.

그러던 어느 날, 친구 한 명이 으쓱한 웃음과 함께 가방에서 무언가를 꺼내 보였다.

"얘들아, 이게 뭐게?"

자랑스럽게 꺼내 보인 것은 다름 아닌 휴대폰이었다. 우리

삐삐(Beeper)
한 줄 정도의 텍스트 표시와 전화번호가 표시됨.
전화를 이용해 음성 메시지 확인 가능.
1997년 X세대 중 X-teen 시절이 사용자 정점 시기임.

는 존경의 눈빛을 발사하며 주위에 모여들었다. 당시 휴대폰은 고가의 제품으로 잘 나가는 사장님 정도는 되어야 가질 수 있었다.

"뭐야? 오~ 휴대폰 샀어?"

"아니! 이건 시티폰이야!"

우리는 의아한 눈빛으로 이구동성 묻는다.

"그게 뭔데?"

"휴대폰이랑 다르게 시티폰은 받는 전화는 안 되고 거는 전화만 돼! 삐삐로 전화번호가 찍히면 찍힌 번호로 전화를 거는 거지."

"아…."

거는 게 안 되는 전화라니! 우리는 아리송한 표정으로 대답했다.

여기에서 시티폰에 대한 설명도 필요하리라! 우리나라에서는 1997년에 서비스가 시작되었고, 삐삐와는 반대로 전화를 걸 수 있고 받을 수는 없는 발신전용 기기이다. 휴대폰이 고가이다 보니, 삐삐의 수신받은 번호로 전화를 걸어야 하고, 공중전화의 귀차니즘을 해결하기 위해 삐삐로 수신된 번호

공중전화부스에는 전화번호부가 있었는데,
예전에는 '개인정보'라는 의미가 없어
홍길동 000-000-0000, 이런 식으로
개인 이름과 전화번호가 적힌 전화번호부가
유통되었다.

로 전화를 거는 의도로 만들어졌던 것 같다. 그러나 시티폰의 더 특이한 단점은 공중전화부스 근처의 전파를 이용해야 하므로 공중전화 근처에서만 사용이 가능하다는 것이었다.

그렇다면, 의문점이 생긴다. 삐삐의 가장 큰 단점은 공중전화부스에 가야만 확인되는 음성 메시지였다. 이 넓은 캠퍼스에서 공중전화를 찾아가려면 저 굉장한 수업과 수업 사이의 일정에 공중전화가 있는 위치를 스케줄에 추가해야 한다. 공강 시간에 동아리방에라도 가면 5층 꼭대기에서 1층으로 내려와야만 공중전화를 사용할 수 있었다. 다른 친구와 만나기로 했는데 동방에서 삐삐가 오면 누가 확인하러 갈 것인지 가위바위보를 할 정도였다.

그러나 공중전화부스에 줄이 길게 서 있으면 모를까, 아무도 없는 타이밍에 맞춰 갔다면 굳이 시티폰을 사용할 이유가 없었다. 운 좋게 살짝이 전파가 잡히는 지역이 있다면 공중전화가 없는 지역에서 이용할 수 있기도 했다. 그리고 그런 일은 거의 드물었다. 시티폰은 이렇게 완벽하진 않았지만, 우리의 귀차니즘을 종종 받아주었다.

그날부터 친구는 자랑스럽게 시티폰을 들고 다녔다. 문제

삐삐는 숫자와 영문만 표기되었다.
이로 인해 많은 용어가 생겼는데,
486(사랑해), 8282(빨리 갈게 or 빨리 와),
1004(내 사랑), 981(급한 일) 등이 있다.

는 그때부터 시작이었다. 며칠 지나고 동방에서 공강 시간을 때우던 차에 한 친구가 눈치 보며 그 친구에게 물었다.

"나 음성 메시지 하나만 들으면 안 될까?"

당시 시티폰의 이용요금은 10초에 몇 원 정도로 정해져 있었다. 친구는 당황한 모습에 눈빛이 떨렸다.

"응? 음성 메시지?"

동방에는 친구들이 많았다. 적게는 2~3명, 많게는 10명까지 있었으니, 그들이 돌아가며 하루에 한 번씩만 빌려도 요금이 만만치 않았을 터였다. 그렇다고 다들 보는 앞에서 딱 잘라 거절하기에는 난감한 일이었다.

배려심이 조금 더 많은 친구는 천 원을 주고 빌려 쓰기도 하고, 애교가 많은 친구는 좀 더 여러 번 빌리기도 하며, 눈치 없이 뻔뻔한 친구는 무작정 빌리기를 반복했다. 그렇게 몇몇 친구들이 쓴 다음에 그 친구는 더 이상 시티폰을 가져오지 않았다. 그리고 그해 가을, PCS라는 수·발신이 가능하면서 저렴한 휴대폰이 나오고 얼마 지나지 않아 시티폰은 사라졌다.

PCS는 한국에서는 1997년 상용화 서비스를 공급하였는데 이로 인해 이동통신 시장이 대중화되기 시작한다. 주파수 대

PCS(personal communication services)
통신 방식은 2세대 디지털 이동통신과 유사하지만,
기존의 시스템보다 경제적인 가격으로
고품질의 지능망 서비스를 제공하는 장점이 있어
가격이 기존의 이동통신보다 저렴했다.

역이 높고 셀 반경이 작아서 당시 휴대폰에 비해 통화 품질이 좋지 않은 단점이 있었다.

○ 그렇게 우리는 삐삐의 정점에서 시티폰을 살짝 맛보고 휴대폰으로 이동했다. 그러나 고삐 풀린 대학 1학년은 적어도 삐삐의 전성시대였다. 동방에서 막걸리라도 한잔할라치면, 각각의 집에서 부모님이 찾기 시작했다. 처음 몇 번은 1층 공중전화부스로 내려가서 '조금만 더 놀다 갈게'하고 답하지만, 그 이후는 모르겠다! 서로의 삐삐에 불이 나기 시작하면 자연스레 삐삐는 무음으로 전환된다. 왜 그럴까? 고3 때도 10시까지 야간자율학습을 하던 우리인데, 엄마는 왜 8시부터 삐삐를 쳤을까? 그렇게 오성 막걸리에 취해 얼굴이 벌겋게 달아오를 즈음 속이 타들어 가는 엄마의 속과 술에 타오르는 내 속은 동일시될 수 없었던 걸까? 부모님과의 확실한 분리를 시작하며 성인 준비를 시작한 1997년이 다시금 떠오른다.

X세대는 삐삐에서 시티폰으로, 시티폰에서 PCS로, 2G 휴

대폰에서 최초 영상통화가 가능했던 2.5G 휴대폰으로 그리고 현재의 스마트폰까지 모든 무선통신을 먼저 경험한 세대이다. 그도 그럴 것이 X세대에서 '얼리어답터'라는 단어가 생길 정도로 먼저 경험하는 사람을 신세대라고 생각하는 문화가 있었다. 빠르게 발전하는 그 무엇을 먼저 경험하고자 하는 열정도 충만했다. 그 시절 시티폰을 가방에서 꺼내 보이며 '이게 뭐게?'라고 자랑했던 친구처럼 말이다.

"이젠 얼리어답터가 아니라
지구환경을 위해 휴대폰을
되도록 오래 사용하는 아줌마가 되었다.
지구를 지키는 X세대!"

엑스세대

마룻바닥
광내기 대장

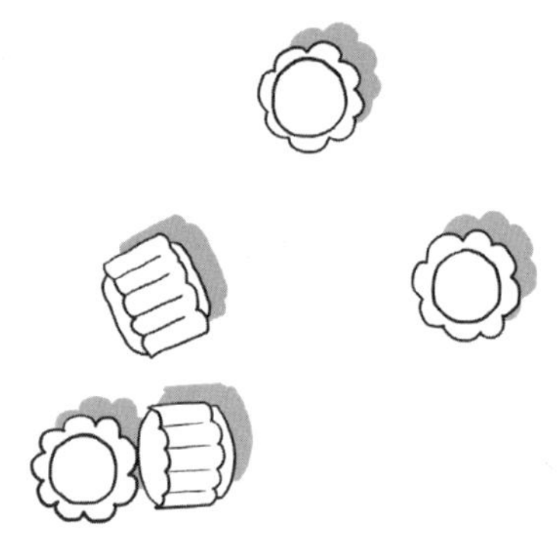

• 국민학교(초등학교)의 교실 바닥은 대부분 나무 재질이었다. 나무는 우리를 여름에는 시원하고 겨울에는 따뜻하게 해 주었다. 하지만, 단점이 있었으니 때가 잘 끼고 먼지가 나무 틈 사이로 들어가는 통에 청소가 쉽지 않다는 점이었다. 이것 때문에 우리는 종종 손걸레를 가져와서 마룻바닥을 코팅해야 했다. 나무 틈 사이로 들어간 먼지를 없애고 촛농으로 코팅해서 먼지가 다시 끼는 것을 막으려고 했던 것 같다. 골마루(학교의 복도)에 나가 우리를 일렬로 쭉 앉혀놓고 선생님이 말씀하신다.

"자, 이제 바닥에 초를 칠해요! 다 닦고 나면 각자 맡은 나무 칸을 검사받고 가세요~"

여기에서 초는 당신이 생각하는 그 초가 맞다. 평소에 불을 켜는 용도로 사용하지만 물과 섞이지 않는 초가 지닌 지성의 성질은 마루를 광내기에는 적격이었다. 이제 우리는 마루 광내기 베테랑이 되어 딱딱한 초보다는 말랑말랑한 초가 광내기에 더 적합하다는 것도 알고 있었다. 딱딱한 초는 초를 칠하는 과정부터 어렵지만, 말랑말랑한 초는 한 번에 넓은 면을 칠하기에 편하기 때문이다. 그래서 친구들끼리 말랑말랑한 초를 파는 문구점을 암암리에 공유하기도 했다.

"이야~ 네 초는 정말 잘 칠해진다. 그거 어느 문구점에서 샀어?"

"응! 〈거기야 문구점〉에서 샀어. 한번 칠해볼래?"

"고마워! 이거 정말 괜찮은데?"

그날 최고로 잘 칠해지는 초를 가진 친구는 대장이나 마찬가지이다. 그 친구는 자신의 초를 반 잘라 내게 내밀었다.

"좋으면 너도 이거 써!"

"고마워! 다음에 〈거기야 문구점〉에서 사면 나눠줄게!"

우리는 선생님이 지시하신 임무를 나름으로 열심히 수행

했다. 사실 손걸레에 손을 넣고 마룻바닥을 문지르는 단순노동은 초등학생이 좋아할 만한 작업이다. 가뜩이나 몸이 근질근질하고 에너지가 넘쳐나는 초딩이들은 손걸레를 바닥에 대고 엉덩이를 흔들면서 아무 생각 없이 박박 문질러대기 시작했다. 점점 반짝여지는 마룻바닥을 보며 미소를 띤다.

"봤지? 내 마룻바닥이 제일 반짝반짝하잖아!"

"아니야! 나도 열심히 닦았어."

서로 자랑하며 초 칠을 더 섬세하게 한다. 그러면 코팅이 더 잘 살아나기 때문이다. 이런 스킬은 다년간 마루를 닦은 경험과 말랑말랑한 초의 노하우에서 배어날 수 있는 고급 스킬이다.

선생님의 지시대로 초를 칠하고 마른 손걸레로 열심히 문지르면 마룻바닥에서 광이 나기 시작한다. 그렇게 한두 달에 한 번 정도 우리는 마루를 청소했다. 특히, 교육청에서 누군가 온다고 하면 그땐 꼭 했던 것 같다. 마루에 광을 잘 내면, 선생님께서 그 친구를 칭찬해 주셨다. 칭찬이 뭐라고 또 열심히 닦아내었다.

반질반질하게 닦은 마룻바닥은 미끄럼을 타도 될 정도로

광이 났다. 광이 나는 마루 위에서 공기놀이하면 공기가 잘 잡혔다. 손도 미끄러지듯이 공기를 낚아채니 말이다. 그렇게 손걸레질을 마치고 우리는 한쪽에 앉아 공기놀이했다.

공기는 항상 가방에 가지고 다녔다. 어디든 앉으면 공기놀이했다. 만약에 공기가 없다면 주위의 작은 돌을 주우면 그만이다. 1단부터 4단까지 마치고 나면 다섯 알의 공깃돌을 손바닥에 모두 올리고 그 돌을 다시 손등으로 옮긴다. 그리고 손등 위에 올라간 다섯 알의 공깃돌을 다시 손바닥으로 잡아내는데, 고난도의 공기놀이는 중간에 박수를 넣었다. 손뼉 한번 치고 잡으면, 두 번째에는 박수를 두 번 치고 잡는 것이다.

지금 생각하니, 아이들의 소근육 발달에 좋았을 것 같다. 그래서 X세대는 손재주가 좋은 사람들이 많은 걸까? 오늘도 이상한 생각을 해본다.

공기놀이는 어린이 놀이이면서 민속놀이이다.
그만큼 오래되었다.
공기가 없으면 주위의 돌을 주워서
할 수 있어서 언제, 어디서든지
가능한 놀이이기도 하다.

"학교 마룻바닥을 콩콩콩 뛰어다니던
그때가 떠오른다.
언제나 에너지가 넘치던
우리는 X세대다."

그렇게 우린 학교 마룻바닥

한 칸 한 칸에 애정을 담았어.

그리고 친구와의 추억도 함께 말이야!

미친 타자방의 한타, 1000타!

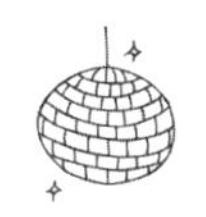

• 대학 1학년 때 무선 이동통신만큼 발전을 거듭한 것이 있었으니 바로 PC 통신이다. 입학 후 며칠 지나지 않아 PC통신 가입을 유치하는 사람들이 교내에 들어왔다. 같이 다니던 친구들과 함께 '나우누리'에 가입했다. 함께 음주, 가무를 하지 않으면 우리는 PC 통신에서 만났다. 난생처음 접해보는 사이버상에서의 만남은 새롭고 재미있었다. PC통신에서는 다양한 사람을 만날 수 있었고, 대부분 우리 또래였던 탓에 거리낌 없이 대화를 나누었던 것 같다.

그중 '퀴즈방'이나 '타자방'이 있었는데, 자판 치는 걸 좋아하는 난 접속한 친구가 없을 때는 친구들을 기다리며 '타자방'에서 놀았다. 타자방은 속담이나 명언이 화면에 뜨면 자판을 그대로 쳐서 올려 타수와 등수가 나오는 식이었다. '800타, 2등!' 이런 식으로 말이다. 어느 날은 자판을 치는데, 시계를 보니 새벽 3시였다.

PC통신은 지금처럼 인터넷 랜선이 별도로 있지 않고, 전화선을 통해 인터넷이 연결되는 구조였다. 이 때문에 PC 통신 요금이 전화요금에 합산되어 나왔는데 그해 우리 집 전화비는 월 20만 원이 넘게 나왔다. 지금 돌이켜보면, 아버지는 정말 속이 넓으셨던 것 같다. 작은딸이 매일 밤새도록 PC통신에 매달려 있는 걸 아셨지만 별다른 말씀은 없으셨다. 그런데 나만 그런 것이 아니었다. 친구들 대부분이 PC 통신에 미쳐 있었다. 지금 생각하면 인터넷 사용 시간을 전화비로 계산해 내는 방식이었으니 요금이 과다하게 비쌌다. 그래…, 인정한다! 무식하게 오래 했던 것도….

처음엔 친구들을 기다릴 때만 타자방에 들렀는데, 한두 번 하다 보니 1등이 좋았다. 공부로는 욕심 내본 적이 없는데 타자방에서는 누구에게도 지고 싶지 않았나 보다. 그렇게 몇 달을 자판을 치다 보니, 경지에 이른다. 한글 타수는 1,000타가 넘어 최고 기록은 1,300타까지 찍어봤다. 영어 타수는 평균 800타에 최고 1,000타를 찍기에 이른다. 이쯤 되면 손가락이 자판 위를 날아다닌다고 보면 된다.

어느 날은 손가락이 날아다니는 작은딸을 아버지는 신기한 웃음을 지으며 쳐다보셨다.

"그게 뭐 하는 거니?"

"응! 타자방이라고 여기 올라오는 글을 그대로 쳐서 올리면 타수가 나오는 거야."

'타수'며 '타자방'을 아실 리가 없었지만, 아버지는 더 이상의 질문 없이 한참을 바라보다 가셨다. 아마도 작은딸이 뭔가를 열심히 하나보다 하셨던 거 같다.

당시 X세대의 부모님 세대는 인터넷을 알지 못하는 세대였다. 휴대폰이 고가였던 시절, 아저씨들이 벽돌만 한 삼성 휴대폰을 자랑스럽게 들고 다니던 때였으니, 컴퓨터로 누군가와 이야기한다는 것이 마냥 신기하게 느껴졌을 것이다. 한 달에 20만 원의 통신비는 당시 아버지에게는 PC통신 Flex였으리라! 그렇게 아버지의 한 달 20만 원의 지원으로 나는 타자방, 채팅, 그리고 번개팅(채팅하던 당사자끼리의 만남)까지

PC통신을 통달한 X세대로 거듭날 수 있었다.

ㅇ   '세상에 쓸데없는 경험은 없다'라는 말이 있다. 뭐든지 경험하고 배워놓으면 언젠가는 써먹을 수 있다는 의미일까? 타자 방을 빈번히 들락거렸던 나는 이후에 자판 치는 일을 업으로 삼았다. 처음에는 고객상담을 했는데 상담 후에 간단히 내용을 기재하고 저장하는 속도가 빨라서 상담 종료와 동시에 저장할 수 있었다. 기존 사원도 어려운 것인데 신입사원 때부터 말이다.

그리고 지금은 글을 쓰고 강의안을 만든다. 통신비 20만원의 민망함에 타자 방에서의 경력(?)은 이후의 삶에서 그 어떤 배움보다도 인생에 도움이 되었다고 적어야겠다.

"이후 인생에 도움이 될 테니,
새벽 3시까지 타자 방에서 타자를 쳐보라고
누군가 그랬다면
아마도 욕했을 거다.
이 와중에 여기에서도
굳이 장점을 찾는 나도 참 나다!"

PC통신에서

사랑 고백을 받아본 사람?

신세계를 깨워준
신라면

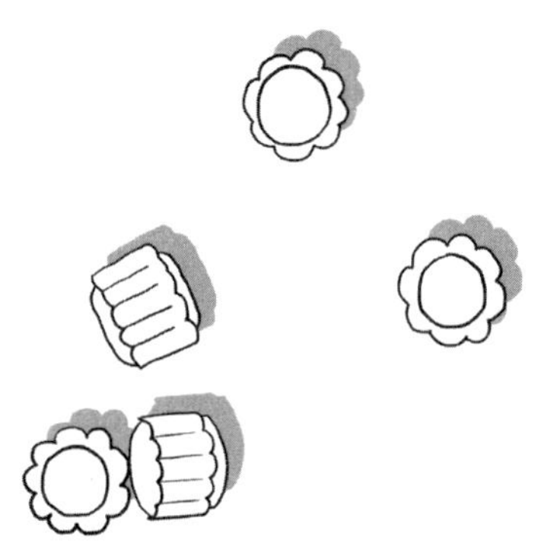

• 아빠는 낚시를 좋아하셨다. 그 시절, 낚시를 어디로 가셨는지는 잘 모르겠지만 충주댐 어딘가라고 들었던 기억이 있긴 하다. 아빠가 낚시를 다녀온 어느 날, 신라면을 사 오셨다. 그전에는 어떤 라면을 먹었는지는 기억나지 않는다. 입에 짜장 소스를 잔뜩 묻히며 짜장라면을 먹은 것을 사진으로 기억할 뿐이다.

그렇게 신라면을 처음 맛보던 날, 신세계가 열렸다. 처음 경험하는 맛이다. 뭐라고 설명해야 할까? 고깃국물 같은 국물 맛은 약간 매콤했는데 지금까지 먹어 본 매운맛과는 다른 맛이었다. 그런 감칠맛은 지금 생각하면 MSG의 신세계였겠지만 당시의 내겐 충격이었다.

그 뒤로 아빠가 낚시 가시는 날만 기다렸다. 우리 집은 슈퍼마켓 바로 옆이었는데, 동네 슈퍼에는 신라면이 없었다. 물류가 원활하지 않던 시절이었으니, 큰 마켓에서나 유통되었던 것 같다. 낚시 가시는 날이면 떠나는 아빠 뒤를 쫓아가며 신신당부한다.

"아빠, 신라면 꼭 사 와야 해!"

"응, 알았어!"

무뚝뚝하고 무심하던 아빠였지만 신라면은 잊지 않고 사다 주셨다. 엄마는 아빠가 낚시 다녀온 날 저녁에는 늘 신라면을 끓여주셨다.

그 시절의 신라면 맛은 기억에 있다. 지금도 가끔 생각나서 신라면을 끓여보면 그때의 맛은 아니다. 내 입맛이 변한 것인지 신라면의 맛이 변한 것인지 모르겠다. 어느 날 TV에서 신라면 관계자가 나와 라면도 버전에 따라 소비자의 성향에 맞추어 해마다 맛을 조금씩 바꾼다고 했다. 나도 임신과 출산을 겪으며, 그리고 나이 들어가며 입맛이 변했으니 어쩌면 신라면과 내가 둘 다 변했는지 모르겠다.

신라면은 농심에서
1986년(내가 여덟 살이던 해) 10월에 출시되었다.
대한민국에서 가장 많이 판매되는
인스턴트 라면 브랜드로
100개가 넘는 국가에 수출되고 있다.

그렇게 신라면 환상의 맛도 추억으로 들어가 버렸다. 이후에 맛있는 라면은 있었지만, 어떤 라면도 그 정도의 충격을 내게 가져다주지는 못했다. 내게 천상의 맛을 경험하게 해 준 라면은 영원히 신라면뿐일 것이다.

"추억은 단순한 뇌의 기억이 아닌
오감 중 하나로 각인되기도 한다.
그래서 첫사랑은
가슴에 찌릿함으로
남나 보다."

고등학교 때 큰사발면은 또 하나의 기쁨이었어.

이전의 사발면은 양이 너무 적었는데,

큰사발면은 식욕이 폭발한 우리의 굶주림을

채워주기에 안성맞춤이었지.

나의 첫사랑
길버트 브라이스

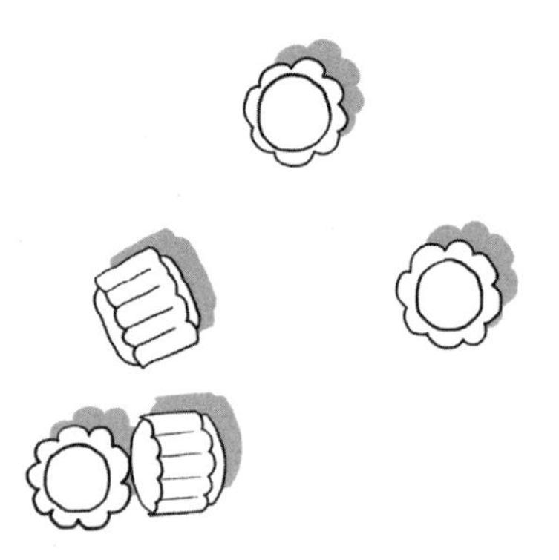

• X세대 이전의 세대는 전쟁이나 전쟁 직후의 사회를 경험한 세대였다. 그러니 그들을 위한 어린이 TV 프로그램이 있었을 리 만무하다. 그러고 보면, X세대부터는 어린이를 위한 만화가 슬슬 만들어지기 시작했으니 이전 세대보다 운이 좋았다고 할 수 있겠다. 그러나, 기술력 부족으로 일본에서 수입한 만화가 대부분이었다. 그중 단연 최고의 인기를 누린 만화는 〈빨간 머리 앤〉이었다.

예전에는 MBC, KBS1, KBS2 이렇게 3사 방송국만 있었는데, 방송 스케줄을 매일 신문에 고지했다. 아침에 신문이 오면 아버지가 보시고 이후에 우리는 신문지의 방송 스케줄 면만 오려서 내가 볼 방송 프로그램을 색연필로 표시해 두었다. 시계를 잘 봐야 한다. 시간을 놓치면 다시 볼 수 없으니 말이다. 그래서 저녁 먹기 전 시간에는 TV 앞에 앉아 선택한 프로그램이 나올 시간만 기다렸다. 내 기억에 토요일 오후 4~5시면 〈KBS1〉 방송국에서 항상 〈빨간 머리 앤〉이 나왔다. 어린이 만화가 몇 개 되지 않으니 방송국은 몇 개 안 되는 만화를 돌리고 돌렸다. 〈빨간 머리 앤〉이 처음 시작해서 방영이 끝나면 한두 달 쉬었다가 다시 1화부터 방영한다. 이렇게 시작한 무한 돌려막기는 근 10년은 우려먹었으니 이제는 대사를 하나하나 외울 판이었다.

이렇게 〈빨간 머리 앤〉 만화의 무한 시청으로 지겨워질 즈음 드라마로 만들어진 〈빨간 머리 앤〉이 등장했다. 그때부터는 만화 〈빨간 머리 앤〉과 영화 〈빨간 머리 앤〉을 번갈아 가며 볼 수 있었다. 만화에 비해 영화 주인공이 더 예뻐서 이질감이 있었지만, 나름 재미있었다.

이 에세이에 자꾸 아버지가 등장하는데, 아버지는 말씀이 거의 없으셨기 때문에 몇 마디 말씀하지 않으신 것이 추억과 함께 되살아난다. 어느 날 변함없이 방바닥에 누워 〈빨간 머리 앤〉을 시청하는 나에게 아버지가 한 말씀 하신다.

"그 똑같은 걸 대체 몇 번이나 보는겨?"

지금 생각하면, 지겹지 않냐는 말씀이셨던 거 같은데 정확한 의미는 알 수 없다. 어찌 되었든 아버지가 그렇게 말씀하실 정도로 나는 앤을 많이 봤다. 그리고 결혼 후 아이를 낳고 넷플릭스에 나온 〈빨간 머리 앤〉이 내가 아는 세 번째 시리즈이다. 세 번째 시리즈도 닳고 닳도록 봤다.

〈빨간 머리 앤〉의 마니아층이 얼마나 많은지에 대해서는 말하지 않아도 독자가 더 잘 알 것이다. 앤의 얼굴과 그림을 담은 에세이가 백만 부나 팔릴 정도이니 말이다. 대중이 〈빨간 머리 앤〉을 좋아하는 것은 주인공인 '앤 셜리' 때문이다. 그러나 내가 수백 번을 본 또 다른 이유는 '길버트 브라이스' 때문이었다. 만화에서는 비중이 거의 없다. 길버트가 나오는 장면을 보려면 앤을 보고 또 봐야 했다. 그리고 집중해야 한다. 길버트는 순식간에 지나가니 말이다. 다행히 영화에서는 길버트의 비중은 좀 더 많았다.

그렇게 앤 셜리와 길버트 브라이스의 자존심 대결하는 장면이 흥미로웠다. 잘 생기고 공부도 잘하고 앤과 마주칠 때마다 한 마디씩 건네보려고 노력하는 길버트의 간질간질한 로맨스가 좋았다. 길버트는 피부도 하얗고 키도 큰 잘생긴 청년이었다. 거기다 앤에게 좋은 것을 내어주는 아량도 베푸는 맘 착한 남친인 것이다. 나중에 초록 지붕에 남으려는 앤에게 그 마을의 선생님 자리를 양보하기 때문이다. 이렇게 〈빨간 머리 앤〉을 보며 '나도 나중에 학교에서 길버트 브라이스와 같은 친구를 만날 수 있겠지'라며 핑크색 로맨스를 꿈꿨다.

o

내 초등학교는 버스를 타고 다녀야 하는 거리에 있었다. 먼 거리로 보낸 데는 엄마의 깊은 뜻이 있었겠지만, 솔직히 초등학교인데 그렇게까지 해야 했나 하는 생각이 인제 와서 든다. 집 앞의 초등학교로 가고 싶다고 말해야 했는데, 그러려면 소똥 냄새가 나는 숲길을 지나야 했다. 엄마에게 그 숲길은 싫다고 했던 것 같다.

그러나 장점이 있었으니, 나름 버스 타고 30분이나 걸리는 거리를 혼자서 다니는 것은 상상의 나래를 펼칠 충분한 시간을 내게 주었다. 가을이면 버스가 달리는 시골길의 양옆에 늘 코스모스가 활짝 피었다. 코스모스 길을 버스가 달리면 나는

첫사랑 길버트 브라이스는
어디 있을까?

늘 앤 셜리로 분했다. 그렇게 꽃잎이 날리는 마차를 타고 초록 지붕으로 들어오는 앤이 된 기분으로 코스모스 길의 버스 안에서 상상의 나래를 펼치고 있노라면 어느새 내려야 할 정거장에 와 있는 것이다. 급하게 내리고 보면 손에 있어야 할 실내화 가방과 도시락 가방 혹은 우산이 늘 없었다. 얼마나 많은 실내화 가방과 도시락 가방 그리고 우산을 잃어버렸는지는 기억나지 않는다. 다만, 꽤 많은 물건을 버스에 놓고 내렸다는 것은 확실하다. 그것도 앤 셜리 때문에 말이다.

〈빨간 머리 앤〉 이외에도 X세대에는 꽤 여러 종류의 만화가 있었다. 5명의 형제가 평상시에는 시민이었다가 지구에 위험한 일이 생기면 변신해 지구를 지키는 〈독수리 5형제〉, 엄마를 잃어버린 꼬마 자동차가 엄마 찾아 떠난 여행에서 다양한 에피소드를 겪는 〈꼬마 자동차 붕붕〉, 하루에 한 가지 어린이들의 소원을 들어주는 〈모래 요정 바람돌이〉, 돌아가신 엄마가 생각나면 달리는 달리기 천재 〈달려라 하니〉, 빙하 속에 갇혔다가 한국으로 떠내려와서 고길동 집에서 외계 친구들과 살게 된 〈아기공룡 둘리〉, 아줌마가 작아지거나 날아다니며 모험을 겪는 〈호호 아줌마〉, 이상한 나라에 문제가 생기면 현실 세계에서 이상한 세계로 넘어가서 해결하는 〈이상한 나라의 폴〉, 머리카락을 뽑아 변신하는 도사 〈머털도사〉, 말하는 토끼와 함께 이상한 나라를 경험하는 〈이상한 나라의 앨리스〉 등이 있었다.

이렇게 열거하고 보니 꽤 많다. 이렇게 하나하나의 만화가 또렷한 기억으로 남은 것은 열심히 돌려막기로 반복해서 방영했던 방송국 반복 학습의 결과이기도 하다. 그러나, 이 정도의 만화로도 상상의 세계를 펼치기에 충분했고 우리는 그로 인해 충분히 감성을 느끼며 자랄 수 있었다. 독수리 5형제의 마지막 회에 5형제 중 둘째인 4번이 죽었을 때는 얼마나 울었는지 모른다. 그렇게 하나하나의 장면이 또 하나의 추억 속에 저장되었다.

ㅇ 어느 날 딸이 내게 물었다.

"엄마! 엄마가 어렸을 때는 어떤 만화가 있었어?"

애들은 어떤 말을 하든지, 문장을 왜 '엄마'로 시작하는 건지 진심 궁금하다. 오늘도 엄마를 먼저 부르는 막내는 정말 궁금하다는 표정으로 나를 바라본다.

내가 봤던 만화를 떠올리며 쭉 설명한다. 그러자 딸이 의아한 표정으로 되묻는다.

"엄마, 만화 주인공들이 왜 다들 엄마가 없어?"

"응?"

설명하던 나는 생각지 못한 질문에 당황한다. 생각해보니, 캔디, 달려라 하니, 아기공룡 둘리, 꼬마 자동차 붕붕 등 엄마가 없는 캐릭터가 너무 많다. 하다못해 빨간 머리 앤까지 말이다. 그때부터 생각했다. '왜 엄마가 없는 캐릭터가 이렇게 많았을까?' 그러고 보니, 신데렐라, 백설 공주, 장화와 홍련 등 당시에 나온 어린이 동화에도 엄마 없는 캐릭터가 많았다. 극한의 상황에서 그 상황을 딛고 일어서는 캐릭터가 대부분이었는데 흔한 설정이 엄마가 없는 것이었다.

그것은 마치 전쟁 직후의 시기를 겪고 새마을 운동을 하며 어려운 상황을 모면하고 발전해가는 X세대의 부모님과 닮은 꼴이었다. 그들이 만든 만화이니 그것을 보며 자라는 세대가 아닌 당시 기성세대의 가치관을 담고 있었으리라!

그땐 동네에도 어렵고 가난한 사람이 많았다. 그래서 어느

집이 어려워지면 모두 십시일반 해서 도와주곤 하던 기억이 있다. 그랬다. 그렇게 부모님도 온전치 못하고, 가난했으나 치열하게 살아낸 우리 부모님 세대가 있었기에 지금의 X세대가 있는 것이다.

아버지는 면 요리나 구황작물을 드시지 않았다. 6·25 전쟁 이후에 할아버지, 할머니는 국수 공장으로 생활을 이어 나가셨단다. 그때 삼시세끼 먹던 국수와 피난 시절 먹던 고구마와 감자는 절대 입에 대지 않으셨다. 갓 지은 쌀밥을 제일 좋아하셨던 이유는 쌀밥이 귀했던 어린 시절의 경험 때문이리라!

라면을 좋아하는 나는 쌀밥이 흔한 시대에 태어나 삼시세끼 밥 먹는 것이 불편한 세대이다. 그래서 한 끼 정도는 면 요리나 빵 혹은 다른 음식으로 대체한다. 이 책을 쓰며 지금까지 생각하지 못했던 풍족했던 나의 어린 시절을 되돌아본다. 그러면서 당시의 기성세대인 부모님 세대에 감사한 마음도 함께 올라온다. 이것은 우리가 또 다음 세대에게 갚아야 할 빚일 것이다.

만화 주인공들이 엄마가 왜 없는지 궁금함을 눈에 담아 대답을 기다리는 딸아이에게 설명한다.

"엄마 말 잘 들으라고 그런 거 아닐까? 엄마 없는 애들도 이렇게 열심히 사니까 말이야."

딸은 그런 심오한 뜻이 있었냐는 듯한 놀란 표정으로 나를 바라본다. 고개를 끄덕이는 딸을 바라보며 나 또한 이렇게 꼰대가 되어가는 것을 느낀다.

"오늘은
아버지가 좋아하셨던
배 한 상자를 사야겠다."

내 사랑 앤 셜리는 늘 내 가슴속에 살아있다.

이 그림은 앤처럼 상상하는

나의 어린 시절 모습을 담은 것으로

〈나는 엑스세대〉의 어린 시절을 회상하는

내용 전반의 의미가 담겨 있다.

패밀리 레스토랑의 첫 경험

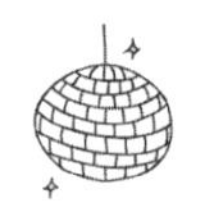

•　종종 방학 때면 서울에 계신 작은 고모 댁에 놀러 갔다. 내겐 두 살 터울인 언니가 있는데, 작은 고모 댁에는 언니보다 한 살 많은 큰 언니와 언니보다 한 살 적은 작은 언니가 있었다. 우리는 그렇게 한 살 터울로 네 명이 곧잘 놀았다. 고모 댁은 잠실이었는데 한번 올라가면 길게는 한 달 정도 언니들과 놀러 다녔다. 완전 시골은 아니지만, 지방에서 올라온 사촌 동생에게 언니들은 서울 여기저기를 구경시켜줬다. 지금 생각하면 거기가 은마 아파트와 은광여고가 있는 서울에서도 핫한 곳이었으니 말이다. 첫째 언니는 요리를 잘했는데, 분식을 맛있게 만들어줬다. 작은 고모는 은

마 아파트에서 비디오 가게를 하셨다. 넉넉하지 않은 살림에 일하시면서도 작은 고모는 나를 정성으로 봐주셨다. 가끔은 비디오 가게를 사촌 언니와 함께 보기도 했다.

지금까지 등장하지 않은 첫째 오빠가 있었는데, 오빠는 첫째 언니와 두 살 터울이었다. 나보다 다섯 살이나 많은 오빠는 이미 대학생이었다. 그래서일까? 올라갈 때마다 오빠는 거의 보기 힘들었다. 그리고 언니들과 노는 자리에 잘 끼지 않았다. 그러던 오빠가 어느 날 방문을 빼꼼히 열고 얼굴을 내밀어 보인다. 깜짝 놀란 우리가 '무슨 일이야?'라는 표정으로 쳐다보니 살짝 미소를 담은 얼굴로 말한다.

"오늘 아르바이트비 탔는데, 맛있는 거 사 줄까?"

그러자 둘째 언니가 퉁명스럽게 대답한다.

"뭐 사주려고 그래? 떡볶이 같은 거면 난 안 먹어."

반응이 있자, 오빠는 방 안으로 발을 들이며 말했다.

"아니야! 사촌 동생들이 왔는데, 떡볶이 같은 걸로 되겠어? 더 맛있는 거 사줘야지."

이번엔 첫째 언니가 퉁명스럽게 답했다.

"뭐야, 왜 안 하던 짓을 하고 그래?"

이런 게 바로 찐 남매 아니겠는가? 잘해주면 이상한 느낌 오는…. 평소에 언니들에게 무뚝뚝했던 사촌오빠가 내게는 퉁명스럽지 않았다. 그런 사촌오빠를 난 그냥 쳐다본다.

"TGIF 가자!"

둘째 언니가 화들짝 놀란 표정으로 그제야 사촌오빠 쪽으로 얼굴을 돌려보았다.

"진짜? 거기 얼마 나오는지 알고 하는 소리야?"

"응! 사촌 동생들이 왔는데 이 정도는 쏴야지. 너네 패밀리 레스토랑 안 가봤지? 오빠가 데려가 줄게."

"얘들아, 거기 진짜 비싼 곳이야. 가보면 깜짝 놀랄 거야."

진심인 것이 느껴지자, 첫째 언니도 말을 보태었다.

그렇게 생애 첫 패밀리 레스토랑을 가보게 된다. 줄줄이 나오는 음식들은 다 처음 먹어보는 맛이었다. 바비큐와 볶음밥 그리고 치즈가 많이 뿌려진 음식들이 가득했다. 몇 번 먹고는 이내 포크를 내려놨다.

"왜? 더 안 먹어?"

"아니, 조금 이따가 좀 더 먹을게. 음료수 먹고…."

모두 너무 느끼한 맛이었다. 우리를 생각해서 큰돈을 쓴 사촌오빠를 실망하게 하고 싶지 않았다. 그러나 내 입맛에는 영 맞지 않았다. 지금 돌이켜보면 그 느끼했던 맛은 고르곤졸라 치즈를 사용한 요리였지 싶다. 구린내 나는 느끼함을 처음 느껴본 지방에서 올라온 촌스러운 사촌 동생은 패밀리 레스토랑을 그다지 좋아하지 않았던 걸로 말이다.

음식보다 더 인상 깊었던 것은 주문할 때 직원의 행동이었다. 무릎을 꿇고 우리를 올려다보며 어떤 메뉴를 먹을 것인지 물어봤고, 수시로 와서 더 필요한 것은 없는지 물어봤다. 모든 것이 낯설었다. 음식도 식당 분위기도 하다못해 직원의 행동까지 말이다. 그도 그럴 것이 그때까지 내가 경험한 양식집은 엄마가 졸업식이면 돈가스를 사주시던 경양식집이 전부였으니 말이다.

어느 날은 첫째 언니가 방으로 뛰어 들어오며 말했다.

"우리 피자 먹으러 가자!"

고모를 졸라, 사촌 동생이 왔으니 피자 한번 사주겠다며 돈을 받아낸 것이다. 그렇게 난생처음 피자집에 갔다. 그때 내가 초등학생이었으니 피자집이 처음일 만도 하다.

다름 아닌 피자헛이었다. 패밀리 레스토랑도 그렇지만, 들어가면서부터 적응이 안 되었다. 뭐랄까? 미적 감각이 떨어지는 내가 콕 집어서 설명은 어렵지만, 테이블 배치부터 뭔가 일반 식당과는 달랐다. 그리고 서서 지켜보는 직원들은 부담스러운 존재들이었다. 어디서 들은 것인지는 기억나지 않지만, '남 먹는 거 쳐다보는 것보다 더 추잡한 것이 없다'라는 이야기가 자꾸만 생각났다. 그렇게 고지식하고 촌스러운 사촌동생은 언니들이 하는 양을 쳐다보고 있다.

피자집에 들어가서 첫째 언니는 많은 피자 중에 하나를 주문했다. 직원이 계산서와 함께 가운데가 움푹 들어간 작은 접시를 하나 들고 왔다. 첫째 언니는 직원이 놓고 간 손바닥만 한 접시를 들고 이렇게 말했다.

"여기 접시에 샐러드 바에 있는 음식을 담을 수 있는데, 딱 한 번만 가져다 먹을 수 있어. 그래서 기술적으로다가 담아야 해. 언니가 하는 거 잘 봐."

언니는 대학 준비를 위해 체육을 전공하고 있었다. 운동하는 사람이 다 그런지 모르겠지만, 먹는 양이 굉장했다. 밥 한

대접을 다 비우고 나서, 바로 콜라 1.5리터 한 병을 비우는 솜씨는 언제 봐도 놀라웠다. 보고 있자면 신기했다. 그런데도 뚱뚱하지 않았다.

빼빼 마른 많이 먹는 사촌 언니가 의기양양한 표정으로 음식이 담겨있는 트레이 앞으로 갔다. 그리고 사이드 음식을 쌓기 시작했다. 먼저 맨 아래를 마요네즈에 버무린 마카로니로 테두리는 둘러서 성벽을 쌓듯이 그릇을 넓혀나갔다. 다음에는 복숭아를 그 위에 쌓고 다시 위에 마카로니를 쌓는 식으로 해서 언니는 접시 위에 손 한 뼘 정도의 벽을 치기 시작했다. 틈틈이 그 안에는 다른 사이드 음식들이 채워졌다. 음식으로 두른 성벽이 위험해 보이면 중간중간에 나름 튼튼한 재료에 속하는 나초를 끼우는 것도 잊지 않았다. 그렇게 쌓인 성벽은 꽤 튼튼해서 우리가 먹고 싶은 음식을 모두 담을 수 있었다. 그득한 그릇을 들고 언니는 조심스럽게 한발 한발 천천히 우리의 테이블로 왔다.

"언니야, 이렇게 담아도 뭐라고 안 해?"

어린 마음에 나는 조금 창피했다. 이게 뭐라고 이렇게까지 담아야 하나 싶었다. 그리고 다 먹을 수 있을까도 싶었다.

그러나 첫째 언니가 있으니 그런 것은 걱정하지 않아도 되었다. 언니는 성벽을 차근차근 허물어 나가기 시작했다. 접시 위의 음식이 바닥날 즈음 나는 이미 배가 불렀다. 피자는 한 조각밖에 먹을 수가 없었다. 당황한 나의 표정을 읽었는지 언니는 작은 목소리로 말했다.

"피자는 포장해가면 돼."

우리는 피자를 들고 웃음을 지으며 피자집을 나왔다.

패밀리 레스토랑과 피자집의 경험이 아마도 초등학교 고학년과 중학교 1학년 사이였던 것으로 기억된다. 그렇게 나는 강남에 사는 사촌 언니들 덕에 신문물을 일찍 접하는 영광을 얻었다.

X세대는 외식문화가 발전하는 단계에서 경양식처럼 격식을 차리는 것이 아닌 자유롭고 세련된 분위기의 피자집이나 패밀리 레스토랑을 접한 세대이기도 하다. 그들은 이미 친구들과 함께 이런 외식문화를 접했으며, 그런 X세대를 통해 그들의 부모 세대가 함께 영입되었을 것이다. 그렇게 나는 얼결에 세련된 외식문화를 경험했다.

ㅇ 아이들이 방학하거나 개학하면 파티를 연다. 파티는 자연스럽게 외식으로 연결되기도 한다. 6학년인데 벌써 나의 키보다 더 커버린 아들에게 물었다.

"아들, 이번 개학 파티는 어디에서 할까?"

아들은 생각났다는 듯한 표정으로 밝게 웃으며 말한다.

"이번에는 아웃백 갈까? 오늘은 거기가 좋을 것 같아. 오늘 분위기랑 잘 맞아."

"그래? 오늘은 아웃백 분위기야?"

"응! 개학은 아웃백이어야 해."

그렇게 우리 자녀 세대는 외식할 장소를 분위기로 고를 줄 안다. 패밀리 레스토랑도 각각의 색채를 띠고 있으며, 그날의 기분에 맞추어 원하는 분위기의 장소를 고르는 것이다.

"우리 아들 세련되었네."

가끔 아들이 벌써 이렇게 자랐나 놀라기도 한다. 하지만 그 날은 스테이크도 먹고 싶었던 걸로….

"X세대와 함께
외식문화도 많이 변했지.
쌀밥이 귀하던 부모님 세대와 달리
피자나 햄버거가 좋은 X세대!"

X세대는 이제 중년이 되었어.

오전에는 가볍게 브런치나 샐러드를 즐기지.

건강에도 좋으니 말이야.

추억의 깐도리

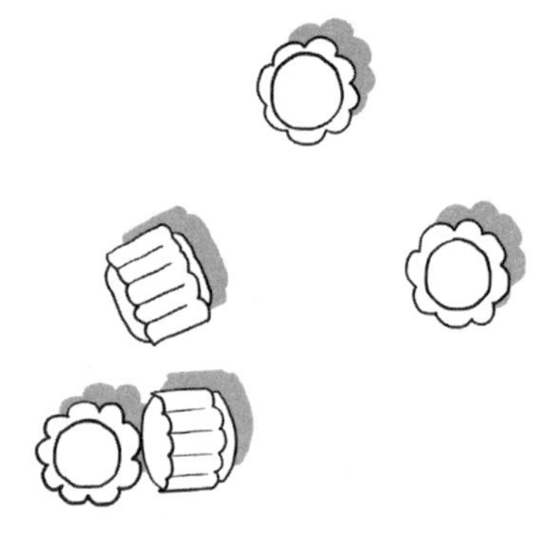

• 예전에는 과자 종류가 많지 않았다. 과자를 생산하는 기업도 많지 않을뿐더러 종류도 제한적이었다. 앞에서도 언급했지만, 우리 집 바로 옆이 슈퍼마켓이었다. 슈퍼마켓에 들어가면 과자나 사탕 종류가 늘 변함없었다. 난 짭짤한 새우깡이 좋았다. 엄마가 새우깡 한 봉지를 사주시면 빨리 먹는 게 아까워 과자를 씹지 않고 녹여 먹었다. 간혹 명절에 과자 선물 세트가 들어오면 그때는 과자 파티를 열 수 있었지만, 평상시는 새우깡 한 봉지로 만족해야 했다.

당시에는 승인받지 않은 회사에서 과자를 만드는 곳도 많았다. 그래서일까? 식품에 넣어선 안 되는 성분을 사용했다는 이유로 제품 판매가 중단되거나 관계자가 구속되는 등의 관련 뉴스가 종종 보도되었다. 엄마는 대기업에서 만들어내는 과자를 제외하고는 '불량식품'이라고 표현했다.

"불량식품은 사 먹으면 안 돼."

엄마의 강력한 표현으로 나는 비 메이커 과자 종류는 잘 먹지 않았다. 요즘 열풍이 다시 일어난 달고나도 그땐 불량식품에 속했다. 뽑기나 달고나를 좋아하는 아이들도 있었지만, 난 그닥 즐기지 않았던 것 같다. 초콜릿을 좋았지만, 과자 선물세트에서나 볼 수 있었으니 평소에는 땅콩사탕이나 즐겨 먹을 수밖에….

학교 문구점에서 많이 팔았던 주전부리는 신호등 색깔을 가진 세 알의 사탕이 들어있는 신호등 사탕, 문구점 아줌마가 가스 불에 구워주던 쫀드기(가운데 꿀이 들어있는 것은 꿀 쫀드기), 그리고 얇은 플라스틱 빨대에 달달한 간식이 깔 별로 들어있던 아폴로, 땅콩 크기만 한 과자가 알알이 들어있는데 표면에 달달한 사탕 같은 것이 묻어있어 딱딱하면서도 맛나던 꾀돌이 등이 있었다. 이런 것은 소히 엄마가 말하는 '불량식품'에서 제외했다. 왜? 맛있으니까…. 학교가 파하면 친구들

학교가 파하고 개미 떼처럼
문구점 안으로
들어가던 친구들이 생각난다.
선희야, 주연아! 잘 지내니?

과 함께 문방구에 들렀고 과자를 하나씩 집어 들고 먹으며 하굣길을 내려갔다. 그래야 집에 가는 맛이 나니 말이다.

그중에 단연 으뜸으로 귀한 것이 있었으니 그것은 바로 아이스께끼였다. 아이스크림은 너무너무 맛있었다. 얼음과자라고도 불리던 아이스크림 또한 흔하지 않아 비 메이커 아이스크림도 있었다. 학교 앞에서 과자로 만들어진 콘 위에 아이스크림을 퍼서 담아주는 아저씨가 오시는 날이면 하나씩 꼭 사먹었다. 아저씨는 늘 세 가지 맛 아이스크림을 가지고 다녔는데, 바닐라 맛, 딸기 맛, 초콜릿 맛이었다. 나는 늘 초콜릿 맛 아이스크림을 골랐다. 이 아이스크림 아저씨가 X세대의 배스킨라빈스라고 보면 될 것이다. 서른한 가지 종류에 비하면 턱없이 부족해 보이지만, 당시에는 그것도 감지덕지였다. 아저씨가 한동안 오지 않으면 우리는 오매불망 기다렸다. 비가 오거나 날씨가 궂은 날이면 찾아볼 수 없었고, 어떤 날은 날씨가 맑은데도 아저씨는 보이지 않았다. 그래서 아저씨가 오시는 날이면 꼭 먹어야 하는 간식 아이템 중 하나였다.

버스 타고 다니는 상황이라 엄마는 용돈을 넉넉히 주셨다. 거기에다 비상 상황을 대비해서 학교 앞 문구점 사장님께 비

내 사랑 깐도리는
막내딸을 닮았다.
보고 또 봐도 사랑스럽다.

상금을 맡겨두셨다. 그래서 먹고 싶은 간식이나 학용품을 충분히 살 수 있었다. 초콜릿 맛 아이스크림 외에 용돈을 플렉스 하는 유일한 간식은 바로 '깐도리'였다. 깐도리의 포장지에는 팥 아이스크림이라고 적혀있다. 그러나 분명 난 깐도리에서 코코아 맛을 느낀다. 정말이다. 초콜릿을 좋아한 나는 코코아 맛이 나는 깐도리를 거의 매일 사 먹었다. 그러나 깐도리가 늘 학교 앞 문방구에 있는 것이 아니었다. 깐도리가 도착한 날이면 지갑을 열고 용돈을 쓴다. 깐도리를 하나 얻은 날은 더 이상 바랄 것이 없었다. 깐도리 하나로 집에 가는 버스가 올 때까지 난 행복했다.

○ 며칠 전 우연히 동네 마트에 들렀다가 깐도리를 발견했다.

'어머! 이건 지금 사야 해.'

나는 세 개를 얼른 집어 들었다. 그리고 집에 들어가자마자 깐도리 봉지 하나를 깐다. 다시 먹어봐도 분명히 초콜릿 맛이 난다. 신기하다. 성분을 자세히 들여다보니, 거기에는 '탈지분유'가 적혀 있었다. 그런가? 탈지분유와 팥이 만나면 코코아 맛이 나는 걸까? 나머지 두 개를 다 먹도록 난 팥 맛을 느낄 수 없었다.

10대에서 40대로 내가 변하는 사이, 깐도리는 그 자리에 그대로 있었다. 좋다! 라면은 지금 먹어보아도 그때의 그 맛을 느낄 수가 없는데, 깐도리는 그때의 그 맛을 느낄 수 있어서 말이다.

"사탕 하나로 행복했던
그때가 떠올라.
지금은 너무 많은 것으로
행복을 그리려는 것은 아닐까?"

문구점마다 들여놓는 간식거리가 다 달라!

학교 끝나고 정문 앞에 있는 문구점부터 하나씩 둘러봐야 했어.

친구 중 하나가 '여기 뭐 있어'라고 외치면

우린 그쪽으로 향했지.

신입 딱지를 떼다

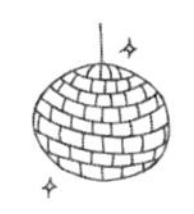

• 어디를 가든 어디에서건 나는 늘 막내였다. 초등학교 때 처음 걸스카우트에 입단했을 때 언니들은 나를 둘러싸고 연신 귀엽다고 했다. 중학교에 입학하니, 우릴 새내기라고 불렀다. 그렇게 중3이 되어 언니가 익숙해질 무렵, 또다시 고등학교 새내기가 되었다. 마찬가지로 대학엘 들어갔다. 술 마시며 정신없이 보낸 3년이 흐르고, 4학년 중반에 얼결에 취직하게 된 나는 다시 신입사원이 되었다. 신입사원 딱지를 뗄 무렵, 부서를 이동해 다른 부서의 신입이 되었다. 그리고 일이 익숙해질 무렵 승진하면서 신임 실장이 되었다. 실장이 익숙해질 무렵, 다시 신임 센터장이 되었

고, 그 무렵 새댁이 되었다. 그렇게 결혼생활이 익숙해질 무렵, 아이가 태어났고 난 또 어설픈 신입(?) 엄마가 되었다. 아이를 낳고 시작한 공부에서 신입 대학원생이 되었고, 졸업 후 시작한 강사 생활에서 나는 신입 강사였다. 강사가 익숙해질 무렵, 회사를 차렸고 신입 사장이면서 책을 쓰는 신입 작가이기도 했다. 더 하고 싶었던 공부를 위해 사이버대에 편입했을 때 또 신입생이 될 수 있었다. 그랬다. 언제나 어디를 가든지 나는 신입이었다. 특별히 하는 것이 없어도 미소를 머금고 발랄하게 인사하면 좋은 인상으로 남는 신입 말이다.

어느덧 정신을 차리고 보니, 40대 중반이었다. 아들은 내 키를 훌쩍 넘어 커버리고, 막내는 어엿한 숙녀가 되어가고 있다. 집필한 책은 책장에 하나하나 쌓였고, 경력도 차곡차곡 쌓였다. 그렇게 쌓인 책과 경력은 내가 눈치채지 못하는 사이 단단해져 있었다. 며칠 전 새벽 6시에 일어나 충남으로 가는 고속도로를 달렸다. 컨설팅과 강의로 들어온 계약 건으로 첫 미팅을 하러 가는 길이었다. 새벽녘 어슴푸레 떠오른 해를 바라보며 달리는 차 안에서 뭔가 달라졌음을 느꼈다.

'더 이상의 신입은 내 인생에 없겠다.'

이렇게 깨닫는 순간, 언덕 위에 혼자 선 듯한 느낌이었다. 이런 느낌은 매우 낯설다. 그건 마치 지금까지 몰랐던 책임감에 짓눌리는 느낌이었다. 이제 내 이름으로 계약하고 그것을 실행하고 그 과정에서 생기는 모든 문제는 스스로 해결해야 한다. 엄마로서도 마찬가지이다. 육아의 과정에서 일어나는 모든 일은 내 책임이었다.

강의할 때는 나의 성격 유형을 잘 말하지 않는다. 이것은 강사 세계의 불문율이기도 하다. 여기에만 살짝 적자면, 나의 MBTI는 ENFP이다. 자유를 갈망하지 않는다. 그냥 자유 그 자체가 ENFP를 의미한다. 그래서 '책임감'이나 '성장'이나 '욕심'이나 '미래를 준비하는'이라는 단어의 의미와는 어울리지 않는다. 가수 이효리가 ENFP라고 들었다. 제주도 해변에 노을 지는 저녁 하늘을 바라보는 그녀의 삶을 나는 이해할 수 있다. ENFP는 낭만을 사랑하기 때문이다. 모든 성격 유형이 어떤 테두리 안에서 어떤 목적이나 기준을 놓고 고민할 때 그 테두리 밖에 있는 것이 ENFP의 특성이기도 하다.

비 내리는 날이면 막걸리에 파전을 먹어야 했던 철딱서니 대학생은 자라서 책임감을 실행해야 하는 한 연구소의 대표가 되었다. 경제적인 것과 사회적인 위치도 중요하다. 그러나 이제 내게 자유로움은 없어지고 일과 책임감만 남는 걸까? 왠지 서글퍼지는 느낌이었다. 그렇게 커피로 빈속을 달래며 거래처로 향했다.

"안녕하세요. 원장 글서입니다. 만나서 반갑습니다."

"안녕하세요. 홍길동 계장입니다."

상대방의 내미는 명함을 바라보며, 나의 명함을 찾는다. 분명히 엊저녁에 명함을 잔뜩 넣어서 명함집을 챙겨두었는데, 없다. 어려운 공공기관 거래처인데, 정말 잘하는 짓이다. 첫인상이 중요한데 말이다.

없는 것을 어찌하리! 나름대로 양해를 구하고 다음 미팅 때는 챙겨오겠다며 민망함을 스스로 무마해본다. 그렇게 오후까지 미팅은 잘 진행되었다. 여러 건물을 이동해야 하는 탓에 계장님의 차를 타고 안내받아 마지막 회의까지 마치고 오후 3시가 넘어서야 계장님 차로 다시 돌아왔다.

"다음에 또 뵙겠습니다."

"네! 오늘 수고 많으셨습니다."

그렇게 서로 인사를 나누고 헤어졌다.

집으로 출발하려는 찰나, 휴대폰이 없다. 어디 갔을까? 가방의 오만 잡동사니를 옆 의자 좌석에 다 부어놓고 한참을 찾았는데, 없다. 몇 번 뒤지고 있는데, 맨 아래에서 명함집이 나온다.

'이런, 빌어먹을!'

다시 휴대폰으로 기억을 더듬어본다. 어디에서 없어졌을까? 계장님 차로 이동하고 점심 먹고 커피 마실 때까지는 있었던 것 같다. 마지막 회의했던 건물로 다시 가서 화장실이며 회의실을 살펴본다. 없다!

그때 마지막 회의에서 뵈었던 또 다른 계장님과 마주친다.

"아직 안 가셨나 봐요?"

"네! 실은 휴대폰을 잃어버려서요."

계장님은 난감한 표정을 지으신다.

"전화번호가 어떻게 되시죠?"

내 번호로 전화를 걸었지만 연결되지 않았다. 그렇게 여기저기 뛰어다니고서야 차를 빌려 탄 계장님께 전화를 걸었다.

"계장님, 바쁘신데 너무 죄송해요. 혹시 차 뒷좌석에 제 휴대폰이 있는지 봐주실 수 있을까요?"

"아직 안 가셨어요? 한참 지났는데요. 바로 내려가서 보고 전화할게요."

그 뒷이야기는 너무 민망하다. 계장님의 차 뒷좌석에 내 신용카드 한 장과 휴대폰이 나란히 누워있었다. 휴대폰을 받으러 간 장소에서 나는 차에서 내려 계장님께 휴대폰을 받아서 들고는 정중히 명함을 건넸다.

"이렇게 드리고 가라는 하늘의 계시이었나 봐요."

멋쩍은 웃음을 지었으나 내 얼굴은 더위와 당황으로 땀범벅이 되어 있었다.

ㅇ 올라오는 차 안에서 가까스로 정신을 가다듬었다. 순간 웃음이 피어올랐다. 달리는 차 안에서 혼자 박장대소했다. 10대든지 40대든지 나는 나다. 10대에 버스 안에서 〈빨간 머리 앤〉을 상상하며 잡고 있던 도시락 가방을 잊고 내렸던 나인데, 40대에 명함집을 한 번에 딱 꺼내 인사하는 것도 너무 인간미 없는 것이다. 그렇게 칠칠찮은 대표로 낙인찍힌 그날, 나는 밑천을 드러낸 장사치처럼 환장하게 웃어댔다.

괜찮다! 신입을 졸업했다 한들 완벽할 수 있나? 그냥 나는 지금 할 수 있는 일을 할 뿐이다. 그것을 잘할 수도 있고, 그렇지 않을 수도 있다. 그것을 잘한다 한들 목에 힘을 줄 필요가 없고 그것을 잘못한들 기죽을 필요 없다. 그것이 살아가는 것 아니겠는가? 지금까지 그렇게 살았고 앞으로도 그렇게 살면 되는 것이다. 달라진 것은 없다.

"부디 MBTI의
ENFP 유형에 대해
고정관념이 생기지 않길 바라."

막내를 졸업한 X세대의

중년을 응원해!

공중전화에
동전 넣기 미션!

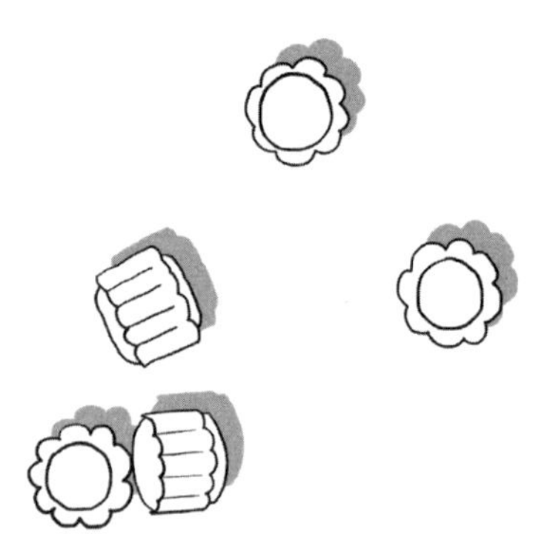

•　　　　　　　　　　버스 타고 다니던 초등학교 시절은 변수가 많았다. 우리 집으로 향하는 버스 노선은 3~4종류였는데, 각기 시간이 다르고 시간에 맞춰 오지 않기 일쑤였다. 오지 않는 버스를 기다리며 졸다가 버스를 놓치기도 하고, 버스를 타려고 뛰어갔으나 세우지 않고 지나치는 경우도 있었다. 버스가 오면 손을 들어 타겠다는 의사 표현을 해야 하는데, 깜빡하고 멍 때리고 있으면 휙 지나가 버리는 상황은 말할 것도 없다. 상황이 이렇다 보니, 재수 없는 날은 버스를 연속해서 몇 대 놓쳐버린다. 이럴 때면 한 시간에 한두 대밖에 없는 버스를 더 이상 기다릴 수 없고, 엄마가 걱정할 것

같아 겸사겸사 집에 전화를 걸었다. 아빠가 집에 있으면 차로 데리러 오기도 했기 때문이다.

그런데, 문제는 나의 키였다. 초등학교 2학년인 나의 키는 반에서 제일 작았다. 그때는 운동장에서 교장 선생님의 말씀을 듣는 조회를 자주 했는데, 그럴 때면 키 순서대로 줄을 세웠다. 키 작은 사람의 인격이 존중되지 않는 사회 같으니라고…. 신발장 번호도 키 순서대로였다. 이건 정말 짜증 나는 일이었다. 1학년 입학할 때는 다행히 내 앞에 한 명이 있었다. 그런데 2학년은 내가 맨 앞이었다. 그래서 2학년 나의 반 번호는 당연히 1번이었다.

'남들 다 클 때 뭐 했느냐'는 말을 종종 들었던 것도 같다. 그도 그럴 것이 난 12월 6일생이다. 1월에 태어난 아이보다 거의 한 살이 적은 거나 다름없었다. 그러나 그때는 생일이 늦어서 그랬었다고 말하기에는 다 큰 지금도 그렇게 큰 편은 아닌 것이 함정이다. 결론은 초등학교나 중학교나 키 순서대로 앉았을 때 맨 앞줄을 벗어나지 못했다. 한두 번 정도 두 번째 줄에 앉아본 것이 경험의 전부이다.

그러니 이렇게 작은 키로는 까치발을 세워도 공중전화 부

공중전화는 30원이었나? 50원이었나?
정확하게 기억나진 않지만,
100원보다 저렴했어.

스의 동전 넣는 곳까지 손이 닿질 않았다. 다시 한번 발을 세우고 동전을 넣으려고 애쓰다가 겨우 하나가 들어갔다. 문제는 동전을 더 넣어야 하는데, 시간이 어느 정도 지나면 공중전화는 더 이상 기다리지 않고 들어갔던 동전까지 뱉어냈다. 30분가량 애써서 겨우 하나 넣은 동전은 잠시 후에 또르르 소리 내며 다시 밑으로 내려왔다. 다시 심호흡하고 비장한 마음으로 공중전화의 수화기를 들고 동전을 넣어본다. 그러나 마음을 비장하게 먹었다고 해서 작은 키가 그사이에 커졌겠는가? 여전히 짧은 팔, 다리는 말을 듣지 않았다. 상황이 이러니 동전을 넣다가 결국 포기했다. 집에 전화해 엄마에게 하고 싶은 말을 할 수 없었다. 그리고 늦게 돌아와 상황을 설명했던 것 같다.

그래서 나는 공중전화 부스에 동전을 넣을 수 있게 키가 크는 것이 소원이었다. 엄마에게 하고 싶은 말이 있어도 전할 수가 없었기 때문이다. 이 고구마 백 개 먹은 답답함은 3학년 때 해소되었다. 3학년으로 올라가면서 키가 조금 컸던 것 같다. 2학년 때와 마찬가지로 맨 앞줄이었지만, 그래도 운동장에서 앞에 4~5명이 있었다. 그리고 그맘때쯤 난 공중전화 부스에 동전 넣기를 성공한다. 이제 엄마에게 전화 걸 수 있었다. 그래서 종종 별일 없어도 집에 가는 중이라며 몇 번 전화를 걸어봤다. 마음속으로 이제 공중전화의 끝까지 팔이 닿는 나를 기특해하면서 말이다.

ㅇ 휴대폰이 울려 받으니 안내 멘트가 나온다.

"이 전화는 콜렉트콜입니다. 받으려면 1번을 눌러주세요."

1번을 누르니 딸아이 목소리가 들려온다.

"엄마?"

늘 부르는 엄마지만, 억양에 따라 딸아이는 나를 부르는 목적을 알게 해주곤 한다. 이처럼 엄마의 '마'자를 의문문처럼 올려 부르는 것은 내가 맞는지 확인하기 위한 것으로 '여보세요'의 의미와 동일하다.

"응, 얄망이 전화했어?"

딸아이의 애칭을 부르며 반기는 내게 총총히 있었던 일을 쉬지 않고 쫑알거린다.

"오늘 미술 시간에 만들기를 했거든. 그런데 양말에 물감이 떨어진 거야. 그래서 화장실 가서 살짝 빨았는데 너무 젖어서 양말을 벗어버렸어. 그런데 엄마, 점심 먹고 왔더니 양말이 다 말랐더라."

실소가 터진다. 이런 소소한 일을 전하라고 학교에 공중전화가 있는 것은 아닐 텐데 딸은 종종 전화를 걸어 자신의 학교의 실시간 상황을 알려주었다.

"그랬어? 엄마한테 말해줘서 고마워. 그런데 딸! 이런 건 집에 와서 얘기해도 돼. 학교에서 되도록 공중전화로 전화하지 말고…. 다른 아이들도 써야 하잖아."

"응, 알았어. 이따 봐 엄마!"

나의 대꾸에 쿨하게 전화기를 내려놓는다.

아들은 초등학교 6년 동안 한두 번 정도 사용한 콜렉트콜을 딸아이는 하루가 멀다고 사용한다. 방과 후 선생님이 늦어도 전화하고, 친구가 다쳐서 양호실에 가도 전화한다. 자신의 신변에 변화가 생기면 당연히 건다. 딸아이 학교의 공중전화는 1학년도 사용할 수 있도록 어린이 눈높이에 달려있다. 어른이 옆에 서면 가슴 아래에 배 정도의 높이에 있다. 그래서 딸은 오늘도 엄마에게 전화를 건다.

그 시절에 그리운 것도 있지만, 국민학교 앞의 공중전화기는 조금 더 아래에 설치했어야 했다. 그래야 지금의 딸아이처럼 내가 엄마에게 전화해 쫑알거릴 수 있었을 테니 말이다. 그때는 한 블록당 하나씩 있던 공중전화인데도 장애인이나 어린이, 노약자에 대한 설비가 거의 전무했으니 그것이 아쉬울 뿐이다.

"전화번호부가 있어서
세대주 이름만 알면
전화번호를 찾을 수 있었어.
그래서일까?
아무 말도 하지 않는 전화가
종종 걸려왔지.."

당시에는 휴대폰이 없었으니,

공중전화가 엄청 많았어.

지금은 거의 없어졌지.

추억의 공중전화부스라니!

X세대 부모님 이야기

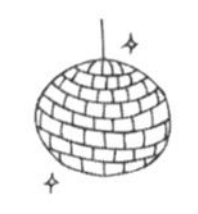

• X세대의 이야기 중 한 꼭지는 부모님의 이야기를 담고 싶었다. X세대가 그토록 다양한 혜택을 받을 수 있었던 것은 부모님 세대 때문이기도 하니, X세대가 '풍요로움' 속에서 자랄 수 있었던 사회적 배경을 조금만 적어보려 한다.

1980년대에는 이제 막 성장하려는 한국 사회에 무엇이 별로 없었다. 무엇이 별로 없었다는 것은 어떤 산업도 막대하게 발전한 것이 없었다는 뜻이다. 그러니 무얼 하든 시장에서는 신대륙을 발견한 개척자가 될 수 있었다. X세대의 부모님들은 그런 한국 사회의 경제와 사회 발전을 위해 열심히 일하셨다. 당시에는 열심히만 하면 안 되는 일이 거의 없었다. 무얼 하든 성공은 떼 놓은 당상이었다.

우리 마을에는 치킨집(그때의 언어로 통닭집이다)이 있었는데 당시의 언어로 '닭집'이다. 닭집에 가면 닭장 안에 살아있는 닭들이 고개를 빼꼼히 내밀고 앉아있다. 통닭을 주문하면 주인아주머니는 무표정으로 그들 중 하나를 잡아내어 목을 치셨다. 그때의 섬뜩한 느낌은 곧 마성의 치킨 냄새와 함께 사라진다. 아주머니께서 직접 담그신 치킨 무 봉다리와 함께 통째로 튀긴 치킨을 종이봉투에 담고 기름이 배어 나오니 다시 비닐봉지에 담아낸다. 엄마와 함께 집으로 가는 길의 통닭 냄새는 너무 좋았다.

온 마을 사람들은 통닭을 먹으려면 이 집으로 가야 했다. 그러니 이 동네에 와서 치킨집을 낸들 장사가 안될 리 없다. 아니, 안 되면 그게 더 이상한 일이었다. 당시에 '페리카나'와 같은 치킨 프랜차이즈점이 생겨나기 시작했다. 황무지 같은 한국 사회에서 우리의 부모님들은 각자의 맡은 바를 열심히 했다. 이후에 들려오는 것은 크고 작은 성공들이었다. 이런 분위기 덕에 당시에는 사기꾼도 극성이었다. 뭔가 황무지의 사업에 관해 이야기하면 사람들은 '내가 무지한 탓에 이것을 알지 못했구나'하며 믿어버렸기 때문이다. 당시에는 그런 사업 아이템이 실제로 정말 많았던 탓이다.

그렇게 부모님의 크고 작은 성공을 바라보며 우리는 자랐다. 그리고 대학 1학년 때 맞은 IMF! 뉴스에는 연신 IMF에 관해 떠들어댔다. 철 모르던 나와 친구들이 술에 미쳐 살던 그때다. 경제위기라고 하니 대기업에는 영향이 있겠지만 지방에 사는 우리에게까지 영향이 있겠나 싶었다. 기억난다. 1학년 가을쯤 터졌던 IMF를….

그리고 우리는 2학년 봄에 실감 나게 느낄 수 있었다. 아버지가 건설업을 하던 친구가 어두운 표정으로 말했다.

"얘들아, 우리 아버지 부도났어."

학교생활을 같이 했지만, 아버지의 직업까지 상세히 알지는 못했다. 우리가 가진 정보는 건설업에 몸담고 계신다는 정도였다.

"부도나면 어떻게 되는 건대?"

부도라는 단어도 낯설었다. 어설프게 '회사 문 닫나 보다' 하고 생각했다. 우리가 몰랐던 것은 '부도'라는 단어의 정확한 의미만은 아니었다. 이후에 순차적으로 친구들의 아버지는 하셨던 일을 접거나 집에 빨간딱지가 붙는 일이 생겼다. 그렇게 2학기가 되자 우리는 1학년 때의 밝음이 얼굴에서 사라졌다. 그리고 각자 학비를 벌기 위한 알바를 시작했다.

아버지는 사진 관련 사업을 하셨는데 처음에는 사진관을 하셨다가 사진관에 장비나 필름을 넣는 도매업으로 바꾸셨다. 사진 장비는 고가의 제품이 있었고 당시에는 필름이 없으면 사진을 찍을 수 없었기에 아버지는 호황기를 제대로 누리셨다. 나는 분명 삶의 어느 순간에 경제 호황기의 혜택을 누렸다고 생각한다. 그런데, IMF가 터지고 나서 디지털카메라가 등장했다. 당시 아버지의 말씀이 떠오른다.

"사진은 출력해서 봐야지, 그걸 누가 화면으로 보고 제대로 사진을 찍어?"

아버지는 아마추어이긴 하지만 사진작가기도 하셨다. 그런데 사진을 인화하는 고급스러운 기술을 사용하지 않고 화면으로만 봐서는 제대로 된 사진이 나올 리 만무하다는 의견이셨다. 이 업종에 몇십 년 뼈가 굵은 아버지가 그렇게 말씀하시니 '한때 지나가는 수많은 사진기 중 하나구나'라고 생각했다. 그때는 즉석 필름을 사용해 사진이 바로 나오는 사진기도 있고, 일회용 사진기도 있었기 때문이다. 디지털카메라도 그것 중 하나라고 생각했다.

그러나 상황은 몇 년 지나지 않아 급물살을 타고 바뀌었다. 가장 큰 필름회사의 부도 소식을 시작으로 필름 주문량은 점점 줄었고, 발 빠르게 대처하지 못한 아버지는 그 후로도 계속해서 버티고 버티다가 최악의 상황이 되어서야 사업을 접으셨다. '시간이 지나면 나아지겠지'라고 생각하셨던 것 같다. 아버지가 경험한 경제는 몇십 년 동안 그랬으니 말이다.

X세대 부모님의 계속되는 성공과 호황기는 그들을 주변 경제환경의 변화에 무디게 만들었다. 그렇게 그들은 자만했던 순간, 무너졌다. 그리고 한동안 우리의 부모님 세대는 다시 일어서지 못했다. 다시 일어서는 데 오랜 시간이 걸렸으며 이전의 자리로는 되돌아가지 못했다.

◦ 그래서 X세대는 두 가지 특성이 있다. 부모님 세대가 경제 호황을 누리던 우리의 어린 시절과 성장기 동안 어렵지만 어렵지 않은 생활을 이어갔다. 뭐가 없

었으니 어려웠지만 그래도 뭐가 없어서 굶는 사람은 없었으니 말이다. 그러다 또 어느 시절은 좀 더 풍요로워져서 그것을 누리기도 했다. 그러다 어이없게 부모님 세대가 무너지는 것을 보았다. 당시 IMF는 마음의 준비를 하기에는 급작스러운 사건이었다.

교육열이 높은 한국 사회의 문화 덕에 경제적으로 여유로웠던 부모님은 우리의 교육에 열성적이었다. 덕분에 우리는 부모님에 비해 많이 배웠다. 그리고 그 '배움'을 '경제활동'과 '미래 준비'에 활용한다. IMF 당시 가장 많이 나왔던 뉴스 중 하나는 주식으로 인해 자살한 어느 부모의 이야기였다. 우리 부모 세대가 한 번에 투자하는 방식으로 주식을 샀다면 X세대는 적금의 개념으로 한 달에 얼마씩 저금하는 것처럼 주식을 산다. 그래서 X세대는 주위를 잘 살피며 조심스럽고 소심하다. IMF와 같이 그렇게 큰 실패는 삶을 어떻게 바꿔버리는지 알기 때문이다.

그리고 삶의 목표가 성공에 있지 않다. 부모님 세대는 크게 한방 터트리면 끝나는 세대였다. 성공은 너무 쉬워 보였고 실제로 주변에서 왕왕 볼 수 있었다. 그러나 그 성공이 오래가지 못하는 것도 보았다. 그리고 힘들어도 참고 일하는 세대이기도 했다. 새벽부터 밤까지 일하다 죽은 노동자의 뉴스도 그런 일의 부당함을 외치던 전태일도 모두 부모님 세대의 이야기이다.

그래서 X세대는 삶의 목표라기보다 주요점을 '행복'과 '여유'에 둔다. '행복'은 지금 당장 찾을 수 있다. 나는 아이들과 함께 금요일 저녁이면 파티를 연다. 마트에 가서 각자 좋아하는 간식거리와 음료수를 고르고, 저녁에 아이들과 자신이 좋아하는 유튜브 채널이나 TV를 같은 공간에서 따로 본다. 우리는 그 휴식 시간을 '파티'라고 부른다. 가끔 아이들과 댄스 타임을 갖기도 한다. 아이들은 일주일 동안 학교와 학원에 다니며 열심히 공부한 보상으로 이 파티는 누릴 수 있는 권리가 있음을 안다. 행복이라는 것은 별것 아닌 것이다. 그리고 가능하면 밤이나 주말에는 일하지 않는다. '여유'를 부린 만큼 아이들에게 사랑을 보낼 수 있는 마음이 생긴다는 것을 경험해 알기 때문이다.

우리 가족은 파티라고 부르지만, 다른 이들은 '혼술', '혼밥' 하며 시간을 보낸다. 술의 목적이 취함과 사교에 목적이 있지 않고 그냥 편안하게 스스로를 힐링하는 시간을 갖는 것이다. 그렇게 부모님 세대의 실패담은 X세대는 또 나름 현명한 방법으로 받아들였다. 삶에서 배우는 이런 게 살아있는 교육 아니겠는가?

"계란을 한 바구니에 담으면
안 된다는데,
바구니에도 구멍이 없는지
X세대는 기업에 관해 공부해."

X세대는 경제 호황기도

경험했어.

운이 좋았지!

고무줄놀이로
하늘 날다

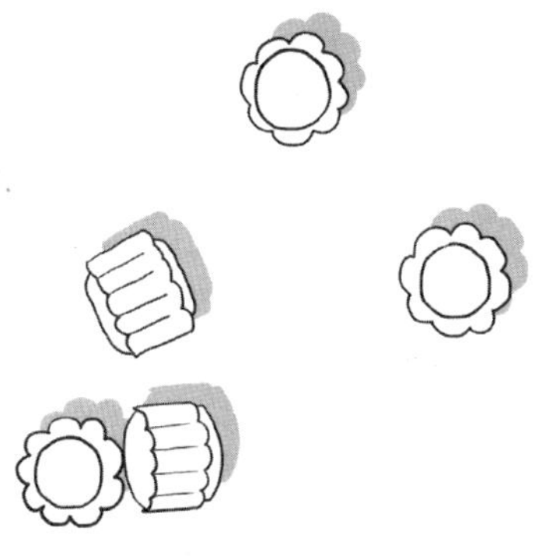

• 초등학교 시절 점심시간에 가장 많이 한 것은 고무줄놀이였다. 초등학교 저학년까지는 늘 고무줄놀이를 했던 것 같다. 지금 생각해 보면 살벌한 노래도 많았는데, 구전으로 내려오는 노래를 별 의미 없이 불렀다.

"전우의 시체를 밟고 넘어 앞으로 앞으로! 앞으로! (중략) 우리는 전진한다. 아아~"

기억나는 것은 이 정도인 거 같다. 노래가 다양했는데, '사이다, 콜라 250원' 이런 노래도 있었다. 그렇게 다양한 노래를 읊조리며 고무줄놀이를 하다 보면 지나가던 개구쟁이 남자 친구가 고무줄을 끊기도 했다. 그럼, 내가 쫓아가서 꼬집

고무줄을 끊어버린 친구는
내게 맞고 씩씩대었다.

나의 꼬집히는 실력이 대단했나 보다.
많이 아팠나? 미안했어, 친구!

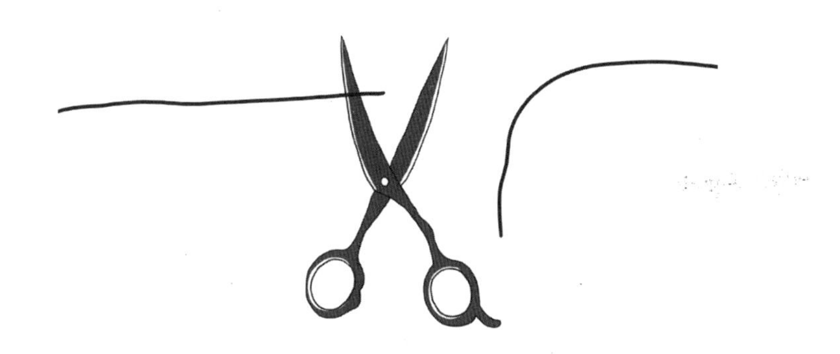

어서 꼭 울렸다. 지금 생각하면 고무줄 끊는 남자아이나 쫓아가서 꼬집는 나도 참…, 그렇다. 그땐 고무줄 끊는 것이 그렇게도 분했다.

고무줄놀이의 하이라이트는 뭐니 뭐니 해도 머리 위다. 키를 넘어서면 한 뼘 위 그리고 다음은 두 뼘 위로 올라간다. 유연했는지 모를 일이지만 다리가 쭉쭉 잘 올라갔다. 컨디션이 좋으면 한 뼘 위까지 더 좋으면 두 뼘 위까지 올라갔다.

햇볕이 쨍쨍하게 좋은 화창한 어느 날이었다. 한 뼘 위는 거뜬하니 가볍게 다리를 올렸는데, 갑자기 하늘이 빙 돌더니 하늘만 보였다. 친구들과 고무줄이 보이지 않았다. 멍하니 있는데, 친구들이 모두 내게로 달려왔다.

"괜찮아? 글서야 괜찮아? 선생님 모셔올까?"

이상했다. 갑자기 친구들이 내게 괜찮냐고 묻는 이유를 알 수 없었다. 정신 차리고 보니 나는 시멘트 바닥에 머리를 찧고 누워있었다. 창피해서 얼른 일어나려고도 했지만, 몸이 말을 듣지 않았다. 그렇게 한참을 누웠다가 친구들의 부축을 받아서야 일어설 수 있었다.

나중에야 이유를 알 수 있었다. 그날 신축성이 없는 짧은

난난 나누기는 마요네즈
마요네즈 땡큐는 오 땡큐!
인도 인도 인도네시아
사이다 콜라 250원!

이렇게 말도 안 되는 노래 가사라니….

청치마를 입고 갔는데, 빨간색 청치마는 나의 '고무줄 한 뼘의 다리 뻗음'을 감당하기에는 신축성이 거의 없는 옷감이었다. 그래서 위로 뻗은 다리의 탄력으로 벌어진 청치마는 아래쪽에 있던 나의 다리마저 데리고 올라간 것이다. 하늘이 빙 돌았던 이유는 실제로 내가 그렇게 돌았던 것이다.

그렇게 전우의 시체가 될 뻔했던 고무줄놀이는 강렬한 기억으로 저장되었다. 이후로도 한동안 고무줄놀이는 계속되었다. 좋아하던 고무줄놀이를 같이하던 친구도, 고무줄을 끊다가 내게 잡혔던 친구도 다들 40대 중반이 되었겠지? 친구들아, 잘 지내니?

"고무줄은 누가 가지고 다녔을까?
그건 기억나지 않는다.
하지만, 늘 고무줄이 있었다."

나의 딸아이는 고무줄을 하지 않는다.

고무줄의 낭만을 모른다니

슬픈 일이다.

추억의 끝,
아이러브스쿨

• 싸이월드가 생겨나기 전, 그러니까 PC 통신의 유행이 사그라들 즈음 아이러브스쿨이 등장한다. 대학을 졸업하고 신입사원 딱지를 막 떼었을 무렵이다. 아이러브스쿨에서 초등학교 동창 모임을 한다는 공지가 떴다. 그때는 졸업한 해를 기준으로 모임을 했다.

'97년도 졸업생 모여라!'

이런 식의 공지가 뜨면 그날, 해당 장소에 가면 되는 것이다. 부푼 마음으로 '친구들은 어떻게 변했을까?' 궁금해하며 도착한 곳은 한 호프집이었다. 들어가자마자 어떤 테이블인지 말하지 않아도 알 수 있었다. 외모가 많이 변한 친구도 있었지만, 한눈에 딱 알아보겠는 친구도 있었다. 초등학교 모임인지 확인하고 나도 조심스럽게 앉았다.

"안녕! 나는 김정섭이야."

그중 단연 눈에 띄는 한 친구가 있었으니, 5학년 때 같은 반, 짝꿍이었던 친구였다. 목소리가 엄청나게 큰 웅변하는 친구였는데, 주산·암산에 능해서 선생님께서 우윳값을 합산할 때면 늘 정섭이를 불러서 합이 맞는지 점검하셨다.

어느 날, 정섭이가 웅변대회에 나가 상패를 받아왔다. 무슨 상이었는지 기억나지 않지만 유리케이스 안에 들어있는 상패는 매우 컸다. 선생님께 상패를 받아 들고 친구는 자리로 돌아와 책상 아래에 상패를 조심스레 두었다. 당시에 정섭이는 내 짝꿍이었는데, 대회에 나가면 늘 상을 받아왔던 기억이 있다. 수상을 축하하고, 이런저런 수업을 하다 점심시간이 되었다.

친구들과 점심 먹을 때면 책상이 좁아 앞 친구의 의자를 빼고 책상을 앞으로 밀어 뒤 친구의 책상과 붙였다. 오늘은 내 의자를 빼고 책상을 뒤 친구의 책상과 맞붙이고 밥을 먹는다.

난 밥을 늦게 먹었다. 집에서도 학교에서도 맨 마지막에 수저를 내려놓았다. 밥을 다 먹고 책상을 다시 원래대로 돌려놓으려는데, 짝꿍의 상패가 바닥으로 쓰러지며 유리가 갈라지는 '쩍' 소리가 났다.

"악~"

깜짝 놀라 얼른 일으켜 세웠지만, 유리 케이스에는 이미 금이 간 후였다.

정섭이는 우리 반 부반장이었다. 목소리만 큰 게 아니라, 한 성깔 해서 화가 나면 아무도 건들지 못했다. 한마디로 지랄 같았다. 말괄량이인 나도 정섭이한테만은 얌전했다. 그런 정섭이의 귀중한 상패를 깼으니 이건 빼도 박도 못할 일이다. 큰일 났다!

나는 재빠르게 주위를 살폈다. 다행히 늦게까지 밥 먹은 나를 빼고는 교실에 몇 명 없었다. 아무도 본 사람이 없었다. 상패를 얼른 세워놓고 교실을 나갔다. 그러고는 종이 칠 때까지 콩닥거리는 가슴을 안고 운동장에서 친구들과 놀았다. 나름 알리바이를 세운 것이다.

그랬다. 예상은 빗나가지 않는다. 종 치고 들어온 교실에서 정섭이는 대성통곡하고 있었다. 누가 내 상패를 깨뜨렸냐며 걸리면 가만두지 않겠다고 했다. 정섭이의 반응은 상상 그 이상이었다.

선생님께서 다가와 물으셨다.

"글서는 어디에 있었니? 네가 그런 거 아냐?"

그러자 정섭이가 선생님의 말씀을 얼른 막았다.

"글서는 운동장에서 저희랑 놀았어요. 그리고 얘는 그럴 애가 아니에요."

'그리고 얘는 그럴 애가 아니에요' 이 한마디로 나는 면죄부를 얻었다. '어머, 미안해! 정섭아!' 난 마음속으로 수천 번 사과했다. 평소 말괄량이지만, 모범생이었던 나를 정섭이는 두둔해 주었다. 그날 오후 내내 정섭이의 씩씩거림은 계속되었고 나는 종일 가슴이 콩닥거려야 했다.

•　　　　　　　　　　　　　대성통곡하던 정섭이가 10년 후 눈앞에 앉아있는 것이다. 분위기가 무르익자 말을 걸었다.

"나랑 5학년 때 같은 반이었는데, 기억하나 모르겠어."

"응, 기억나는 거 같아."

"그때 웅변대회 나가서 상패를 받았었는데, 교실에서 깨졌었어. 혹시 그것도 기억나?"

"글쎄…. 그것까지는 기억이 안 나는데…."

"그래? 내가 그때 너랑 짝꿍이었거든. 실은 그거 내가 깼는데, 무서워서 말을 못 했어. 미안해. 지금이라도 사과할게."

"아, 그랬어? 기억은 안 나지만, 그렇게 얘기하니 사과는 받을게. 괜찮아! 다 지난 이야긴데…."

"고마워. 너 그날 분해하면서 엄청 많이 울었거든. 누가 그런 거냐고…."

"하하하! 내가 그랬니?"

죄지은 나만의 기억이었다. 10년 후의 정섭이는 10년 전의 정섭이보다 훨씬 순했다. 백혈병을 앓아 6학년부터 학교를 쉬었다는 정섭이는 이후에 학업에 임했지만 뒤떨어진 공부를 따라잡기에는 역부족이었단다. 모임을 파하고 일어서려는데, 정섭이는 초등학교 5학년 때의 키 그대로였다. 아무 말도 하지 않았는데 백혈병으로 성장이 거의 멈췄다며 멋쩍게 웃었다.

초등학교 때는 정섭이가 반에서 남자 친구 중 가장 큰 편에 속했다. 주산도 잘하고 웅변도 잘했던 정섭이는 백혈병을 이겨내고 레크리에이션 강사가 되었다. 아이러브스쿨 모임 이후의 회사 야외 운동회에서 사회자로 온 정섭이를 만날 수 있었다. 활기찬 성격으로 사람들을 끌어내며 수백 명의 사람을 진두지휘했다. 남들보다 몇 배 큰 목청을 자랑하며 무대를 활보하는 그는 예전 그대로였다. 무대 위의 정섭이는 초등학교 시절처럼 위로 올려다봐야 했다. 작은 키는 보이지 않았다.

"X세대 사교육은
웅변, 주산암산이 유행했어.
책상 위에 손가락을 두드리면
자동으로 덧셈과 곱셈 답이 나오던
정섭이가 생각나!"

정섭아, 넌 예전에도 지금도

그대로 멋져!

나는
우리 반 63번

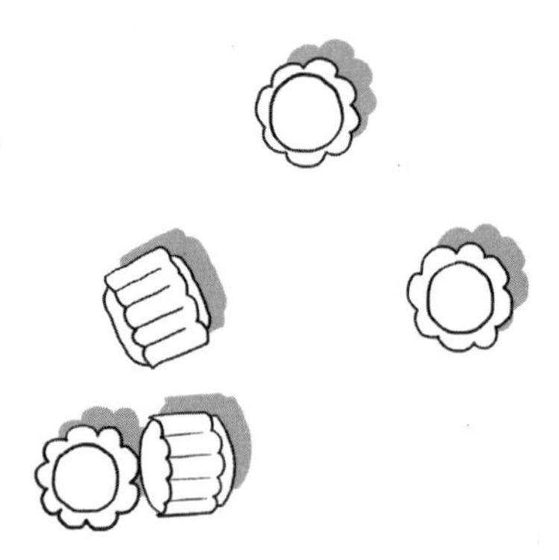

• 난 초등학교 1학년 때 전학 갔다. 지리상으로 보면 옆 동네이지만, 내겐 큰 변화였다. 1학년 2학기가 끝나가는 겨울이었으니 유치원과 1학년까지 2년을 정든 친구들과 헤어져야 했다. 거기다가 선생님도 친절한 선생님에서 무서운 선생님으로 바뀌었기 때문이다. 전학 간 난 우리 반의 가장 끝 번호였는데, 63번이었다. 한 반에 무려 63명이나 있었다는 말이다. 그러니 선생님이 회초리를 들지 않고 무섭지 않다면 아이들 통제가 가당키나 했을까?

첫아이를 낳고 처음으로 경험한 공개수업은 엄마들을 멘붕으로 빠뜨리기에 충분했다. 한 아이는 우유 마시며 돌아다녔고, 수업을 듣지 않고 엄마 쪽으로 돌아앉은 아이가 있는가 하면, 선생님의 말씀 끝마다 도돌이표 질문을 해대는 아이까지…. 엄마로서 경험한 첫 1학년 교실은 혼동의 카오스였다. 그 와중에도 선생님은 차분히 엄마들을 향해 눈빛을 보내며 수업을 진행하셨다. 이런 경험 탓에 초등학교 선생님은 극한 직업이라고 생각한다.

지금 내 아이들은 한 반의 인원이 30여 명 남짓이다. 많으면 30명이 조금 넘고 적으면 30명이 넘지 않는다. 그런데 이런 멘붕의 아이들이 63명이나 있다고 상상해 보라! X세대의 어린 시절에는 학교도 학교지만 선생님도 부족했다. 생각해 보면, 6·25 이후에 먹고사는 문제를 해결하다 정신 차리고 보니 그즈음이었을 거라 생각된다. 학교와 선생님을 늘려야 하지만 재정적인 문제가 있었을 것이다. 그렇게 아이는 많고 학교와 선생님은 부족하고 부모 세대는 열심히 일해야 하는 상황이 오자 정부는 출산 억제 정책으로 '가족계획 운동'을 발표한다.

ㅇ 어느 날, 유튜브를 보는 내게 아

들이 다가왔다.

"엄마, 이게 뭐야?"

"응! 예전에 아이 많이 낳지 말라고 정부에서 만든 영상인데 재밌어. 한번 볼래?"

영상에서는 아이들이 바닥의 동그라미에서 하나씩 튀어나와 개미 떼처럼 건물에 하나하나 들어가다 이내 건물이 폭발하는 장면이었다. 북한 앵커 말투의 아나운서는 '덮어놓고 낳다 보면 거지꼴을 못 면한다'라는 표어를 또박또박 발음한다. 아들이 눈이 휘둥그레져서 묻는다.

"엄마, 이게 뭐야? 사람이야?"

바닥의 동그라미에서 한 명, 한 명 쏙쏙 올라오는 아이들이 인격적으로 보이지 않는 탓일까? 아들은 정말 놀랍다는 표정이다. 그런 나는 앵커의 말투를 따라 아들에게 말했다.

"덮어놓고 낳다 보면 거지꼴을 못 면한다."

우리는 까르르 웃었다.

예전에는 동네에 세 남매가 많았다. 대부분 가정에서 아이를 세 명 이상 낳았고, 많으면 4~5명 정도였다. 또 아들이 집

안의 대를 잇는다는 유교 사상이 남아있어 딸만 네 명을 낳은 친구 엄마는 마지막으로 한 명 더 낳으셨다. 물론 또 딸이었지만 말이다. 다섯째를 낳고 엄마는 사흘을 울었다고 했다. 이런 이유로 정부에서는 성별 구별 없이 둘만 낳자는 운동을 벌였고, 이후에는 하나만 낳자고 변경했다. '딸·아들 구별 말고 둘만 낳아 잘 기르자', '둘도 많다 하나씩만 낳아도 삼천리는 초만원', '적게 낳아 잘 기르면 부모 좋고 자식 좋다' 등 재미있는 표어가 많았다. 특정한 날이 되면 학교에서 이런 표어와 포스터를 그리는 시간도 있었던 것 같다.

정부의 정책은 몇십 년 후에 효과가 나타나니 초만원인 학교를 어떻게 할 수 없었다. 그래서 X세대는 국민학교(초등학교)도 오전반과 오후반으로 나누어 다녔다. 나는 아침에 학교에 다녀오고, 언니는 오후반이어서 점심 먹고 학교에 갔다. 중학교에 입학하니 우리가 하교하면 야간 고등학교 언니들이 우리 교실을 사용했다. 그렇게 X세대에는 아이들이 많았다. 정부가 출산 억제정책을 쓸 정도이니 말이다.

아이들이 많고 부모님은 새벽부터 일어나 일하는 문화였

으니 아이를 충분히 돌볼 인력은 지금보다도 더 부족했으리라! 그렇게 아이들은 아이들끼리 자라고 부모님은 부모님 나름 일하는 분위기였으니, 엉망진창인 집은 해도 너무 했다. 시골과 도시의 경계선이었던 우리 마을의 몇몇 집은 가축을 길렀다. 그중 대정이네 집은 엄마가 돼지를 치러 다니시느라 늘 바쁘셨다. 자세히는 모르겠지만, 돼지를 사고팔기도 하며 돼지우리의 똥도 치우고 먹이도 주는 것 같았다. 기르는 돼지의 규모가 꽤 큰 부잣집이었지만 아이들은 밥을 제때 먹지 못하고 엄마가 삶아 놓은 감자나 고구마를 들고 다녔다.

어느 날은 저녁을 먹으며 엄마가 아빠에게 하소연하는 말을 들었다.

"글쎄, 대정이네 도사견이 그 집 새끼 돼지를 잡아먹었대!"

"엄마, 개가 돼지도 먹어?"

"아니, 보통은 안 먹는데…. 사료를 하도 안 주니까 개가 얼마나 배가 고팠으면 그랬겠니?"

또 앞집 아줌마는 일하러 다니며 집안일을 하셨는데, 정신없이 요리하다 보니 매번 국인지 찌개인지 알 수 없을 중간의 그 무엇을 끓이신다고 했다.

"음, 오늘 국이 맛있네."

어느 날은 아저씨가 국이 맛있다고 한 칭찬에 아줌마가 이렇게 대답했다.

"그거 찌개여."

요즘 맞벌이하니 지금의 부부들이 겪는 일인 것 같지만, 특정한 직업이 없던 그 시절의 엄마들도 바빴다. 마을에서 소일거리를 하고 푼돈을 벌거나 집에서 소소한 아르바이트를 하기도 했다. 당시 엄마들은 훨씬 더 부지런했다.

상황이 이러하니, 학교에서 돌아온 아이들끼리 사고 치는 일화가 더 많았다. 라면을 다 꺼내다가 삶아 먹거나, 귤 한 상자 정도는 거뜬히 없앨 수 있다. 그렇게 사고뭉치들은 집안을 엉망진창으로 만들고 밖으로 나와 해 질 무렵 엄마가 돌아올 때까지 뛰어놀았다. 논두렁에 가서 개구리를 잡기도 하고, 빨래터에 나가 신발을 엉망진창으로 만들어 버리기도 했다. 교회에 들어가서 했던 숨바꼭질은 그중 최고였다. 목사님이 앉는 큰 의자 뒤의 커튼에 숨어버리면 아무도 찾지 못했다. 교회에는 반주자가 드나들 수 있는 작은 개구멍 같은 문이 있었는데, 우리는 그리로 드나들며 교회에서 잘도 놀았다.

친구와 따로 시간을 약속하지 않아도 골목으로 나가면 언제나 친구가 있었다. 아이들이 많으니 누군가는 나와 놀고 있는 형국이다. 그 많은 아이 사이에서 골목대장을 하던 그때가 그립다. 저녁노을이 붉어질 무렵이면 어느새 집으로 돌아온 엄마들은 집 안 정리하고 저녁을 지었다. 그러고는 골목을 나와 어딘가에 있을 자신의 아이를 찾았다.

"글서야, 밥 먹자!"

엄마 목소리는 너무 커서 옆 동네에서도 들릴 정도였다. 갓 지은 밥 냄새, 붉은 노을과 함께 들려오는 엄마의 목소리가 함께 어우러지는 5분 정도의 시간은 X세대의 마음 한 켠에 저장되었다.

“엄마가 안 계시면
우리 삼 남매는
볶음밥에 라면을
한 솥 끓여 먹었어.
1회 6봉으로 삼 남매는 폭식하며 웃었지.”

주말 아침이면 아침 일찍

논두렁을 자전거를 타고 달렸지.

풀잎에 맺힌 아침 이슬이

자전거가 나가는 힘으로 공기 중에 흩뿌려졌어.

그때의 상쾌함을 다시 느낄 수 있을까?

동아리 방의 태권도 V

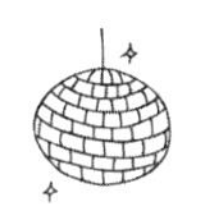

• 대학 시절, 나는 아침마다 조금 비탈진 계단 길을 올라가면 자리 잡은 동아리 방(이하 '동방'으로 표현)을 들렀다. 동방에 앉아 아침 공기의 시원함을 느끼며, 새소리를 들으며 명상하듯이 앉아 책을 읽었다. 하루 중 가장 좋아하는 시간이기도 했다. 우리 동방은 5층 옥상에 있었다. 4층까지는 정식 건물이지만, 새로 신설된 동방을 차릴 곳이 없어 학교에서 임시 건물처럼 슬라이드로 만들어낸 옥상 방이었다. 바로 앞에는 힙합 춤을 추는 동아리가 있었고, 그 앞에 위축된 것처럼 벽면이 오그라들어 약간 기울어 있던 동방이 당시 내게는 좁고 작은 동굴 아지트처럼 느껴졌던 것

같다. 그 시간을 사랑했던 난 아침마다 동방에 들르는 것을 잊지 않았다. 나만의 아지트에서 새소리를 들으며 잠시 앉아 좋아하는 책을 꺼내 들었다. 아마도 좋아하던 신경숙이나 공지영 아니면 베르나르 베르베르나 브론테 자매의 소설이었으리라! 지금 생각해 보면 수업 시간 전, 동방에서 아침의 한 시간은 내게 영감을 불러일으키고 오감이 열리는 감성의 시간이었다. 그래서 그 기억은 더 또렷하다. 동아리방의 퀴퀴한 냄새와 가운데 둔탁하게 자리 잡은 나무 탁자의 그 탁한 무게감! 그리고 깨끗하지 못한 장판 위를 냄새나는 걸레로 대충 닦고 앉으면 올라오는 그 쾌쾌함과 아침 이슬을 적당히 머금은 축축한 공기층의 만남….

그렇게 앉아 책을 읽노라면 눈에 띄는 것이 있었다. 바로 동방 일지다. 동아리방에 누군가 오면 방명록처럼 뭔가를 끼적이고 가는 손때 묻은 노트가 볼펜 한 자루와 함께 나무 탁자 위에 놓여 있었다. 단체 카톡 방이나 문자가 없던 그 시절, 동방에 누군가가 오면 '나 다녀갔어요'라고 티 내는 글이나 그림을 동방일지에 적어 놓았다. 그리고 다음 사람이 오면 동방일지를 보며 웃기도 하고 전에 써 놓은 누군가의 글에 답글을 적기도 했다. 현시대의 단톡방 오프라인 버전이라고 하면 이해가 쉽겠다. 동방 일지에는 그 사람의 유머 감각이나 말솜씨가 함께 배어 나왔다. 누군가는 얼굴은 핸섬하지만 늘 글이 딱딱하고 재미없었다. 누군가는 외모는 별로지만 다른 사람의 글에 재치 있는 답글과 그림으로 일지를 읽는 사람의 얼굴에 미소가 번지게 했다.

그중 만화를 그리는 친구가 있었다. 큰 안경테를 쓰고 볼에 촌스러운 붉은 기가 흐르던 태영이는 외모와 대비되는 놀랄만한 만화 실력을 갖추고 있었다. 그날 아침 나는 엊저녁에 태영이가 그린 로보트 태권 V와 건담을 비교한 그림을 보고 있었다. 로보트 태권 V의 촌스러움과 건담의 세련됨을 비교하는 그림을 기가 차게 그려놓고 멋쩍은 듯 '태권 V도 건담처럼 세련되면 안 되냐?'라는 한 마디 더했다. 그림을 보며 내가 피식 웃는다. 참으로 엉뚱한 친구다. 그 그림을 한참 들여다본다. 태권 V는 실제 태권 V보다 더 투박하게 그리고 건담은 실제 건담보다 더 세련되게 그려서 더 비교되게 했다. 그림에서의 선과 표현의 솜씨는 평상시 그 녀석에게서는 볼 수 없는 다른 모습이라 참 인상 깊었다. 아버지가 중국집을 하신다며 전기·전자학과에 우수한 성적으로 들어왔다고 늘 자기 자랑을 놓지 않았던 그 친구는 가끔은 진짜 중국집 오토바이를 타고 동방에 들렀다. 중국집 배달하기 싫어서 동방으로 도망하러 왔다며 투덜거리던 괴짜 친구의 소식은 졸업 후에도 간간이 들을 수 있었다.

ㅇ 그런데 몇 달 전 들은 로봇 태권V의 촌스러움을 닮은 그 친구가 하늘나라로 갔다는 소식을 들었다. 동방에서 그다지 친하지 않았던 녀석의 죽음은 나름 충격이었다. 지인이라기에는 그 친구가 섭섭할 테고, 친구라 하기엔 좀 거리가 있던 터지만 X세대 또래 집단에서는 고인이 된 첫 번째 사람이다. 뒤늦게 소식을 전해 준 친구에게 재차 물었다.

"태영이가? 정말? 대체…, 왜?"

'서른 즈음에'라는 노래도 있고, 많은 청춘 드라마에서 20대에서 30대를 거치는 나이는 표현되었다. 그러나 마흔은 없었다. 그 어디에도 '30대에서 40대가 되면 이럴 거야'라는 모델이 될만한 것을 본 적이 없었다. 그리고 마흔에 1, 2, 3,

탑승구
Gate

4를 더해 5까지 올라가는 것은 더더욱 상상해 본 적이 없다. 다양한 연령대가 있는 어떤 모임에서 최근 이런 말을 들었다.

"왜 학번을 얘기해요? 나이를 얘기하지!"

40대인 우리는 학번으로 나이를 말하고 있었다. 사실 그랬다! X세대는 아직 40대를 이야기할 마음의 준비가 되지 않았다. 그러던 와중에 접한 태영이의 소식은 내게 심리적인 변화를 주기에 충분했다. 젊은 시절, 함께 했던 누군가가 유명을 달리한다는 것을 경험하지 못했으니 말이다.

나는 이제 나의 중년을 받아들이기로 했다. 동방에서 만나면 종종 태영이와 농구를 같이 하던 태성이는 그의 관을 들어주었다고 한다. 이름 한 글자가 같아 형제 아니냐며 놀림당하던 태영이와 태성이는 졸업 후에도 종종 어울렸던 것 같다. 농구를 함께 하던 그때 태성이는 알고 있었을까? 25년 후에 저 녀석의 관을 들게 되리라는 것을…. 촌스러운 기지 바지를 입은 태성이와 헐렁한 면티를 입은 태영이의 어깨동무하고 가는 뒷모습이 붉게 내려앉은 저녁노을 사이로 번지던 그때가 떠오른다. 촌스러운 로보트 태권 V를 닮은 퀴퀴한 냄새와 추억이 함께한 동방 친구들은 그렇게 내 기억에 저장되었다.

우리는 삐삐, 휴대폰, PC 통신 등 무선통신과 인터넷을 즐기는 세대이면서 동시에 동방에서의 성년식과 잔디밭의 막걸리로 아날로그적 감성을 충만하게 느낀 세대이기도 하다. 그래서 X세대는 세련되면서 센티하다. 동방에서 '바니 바니' 게임과 함께 마시던 오성 막걸리도, 대학 정문 앞에서 소주 한 잔의 기운을 빌린 '무궁화꽃이 피었습니다'의 외침도, 성년의 날에 선배들의 얼굴에 뿌리던 밀가루도, 입대하던 선배 집 앞에 찾아가 들었던 군대 잘 다녀오라는 피켓도, PC 통신을 통해 남모르게 받은 고백도, 동방일지에 그려졌던 로봇 태권 V와 건담처럼 우리는 세련되게 센티했다. 그 시절의 감성은 정말이지 사랑스러운 추억이다.

"X세대는 중년을 이야기할
마음의 준비가 되지 않았다.
그러나 이내 멋진 중년을 준비해본다.
우린 X세대니까!
멋진 중년이 될 수 있을 거야."

사랑스러운 시간의 조각을 함께 했던

태영이가 이제 아프지 않고

부디 좋은 곳에서 평안하기를 기도해!

epilogue

애초에 에필로그는 계획에 없었다. 그러나 책을 준비하는 1년 동안 경험한 감정선을 정리해야겠다는 생각이 들었다. 이 책의 첫 시작은 X세대의 특징을 내가 겪은 유쾌한 에피소드와 연결하자는 것이었다. 그렇게 기획된 책은 도무지 진도가 나가지 않았다. 1개월이 지나도, 2개월이 지나도, 3개월이 지나도록 나는 글을 적어 내리지 못했다. 그것은 당시의 유쾌함을 끌어낼 만큼 현재의 내겐 유쾌함이 없었기 때문인지도 모르겠다. 영문을 알 수 없었다. 그래도 앉아서 쓰면 써지려니 했지만, 번번이 실패했다.

난 발랄하고 유쾌한 친구였다. 누군가가 힘들어하거나 낯설어하는 상황인 것을 눈치채면 먼저 다가가서 말 걸어주는 그런 친구 말이다. 그리고 당당하고 솔직한 친구였다. 지금의 감정을 스스럼없이 정확하고 솔직하게 표현하는 그런 친구 말이다. 그러나, 30대 삶의 힘듦은 나를 바꿔놓기에 충분했다. 이 책의 진도가 나가지 않은 것은 30대에 경험했던 인생의 힘듦에 대해서 이 책에는 한 글자도 쓰지 않겠다는 나의 다짐 때문이었다. 첫 번째 에세이에 충분히 적은 인생의 힘듦, 괴로움 그런 것을 위로하는 나의 애씀이 묻어나지 않기를 바랐다. 그러나…, 그렇게 가짜로 유쾌한 척은 할 수 없는 것이었다. 진심이 아니라면 글은 써내려 지지 않는 것이라는 것을 6개월이 지나서야 알게 되었다.

그래서 글을 쓰기 위한 나만의 그리고 나를 위한 트레이닝을 시작했다. 워크홀릭이었던 나에게 일을 잠시 떼어두기를 요구했고, 좋아하는 게임을 다시 시작했으며, 아이들과 신나는 여행을 다녀왔다. 나는 나를 돌아보고, 과거의 나를 추억했으며, 과거의 유쾌함을 다시 현재의 내가 받아낼 수 있는 에너지를 확보해야 했다. 그렇게 나는 나를 찾는 시간을 가지려고 노력했다.

그래서 이 책의 마무리는 내게 의미가 있다. 이 책의 끝은 새로운 시작이기 때문이다. 잊고 지내던 X세대의 색깔을 다시 찾은 나는 지금부터 다시 발랄하고 유쾌하며 당당하고 솔직한 본연의 모습으로 돌아가려고 한다.

가끔 누군가는 내게 이렇게 묻는다.

"책은 왜 쓰시나요?"

가만히 생각해 봤다. 에세이를 쓰는 이유는 열심히 산 내게 주는 선물이다. 살아가는 것에 대한 당위성은 없다. 삶은 그 자체만으로 늘 존귀하다. 글을 쓰는 것도 마찬가지다. 내게 책을 쓰는 것은 마음 안에 고여있는 응어리를 풀어내는 과정이다. 그것이 언제는 부정적인 응어리를 풀어내는 것일 수 있고, 언제는 긍정적인 에너지를 풀어내는 것일 수 있다. 〈나는 나를 위로한다〉가 부정적인 응어리를 풀어낸 것이라면, 〈나는 엑스세대〉에서는 긍정적인 에너지를 풀어내고자 했다.

심리학에서는 삶이 힘들 때 글을 통해 풀어내는 과정을 '승화'라고 표현한다. 승화란, 방어기제 중 하나로 본능적인 욕

동을 어떤 목표나 대상에게 풀기보다 사회적 가치를 지닌 것으로 옮겨놓는 것을 의미한다. 여기에서 사회적 가치를 지닌 것으로는 예술적 창조, 일, 유머 등이 있다. 나도 승화를 방어기제로 사용하고 있는지도 모르겠다. 그러나 그 과정은 '승화'라는 단어처럼 고급스럽지 않다. 그래서 나는 글을 쓰는 것이 긍정적인 방어기제인지 솔직히 잘 모르겠다. 그러나 글을 쓰면서 마음이 정리되고 차분해지며 이내 미래로 나아갈 힘을 얻는 것은 사실이다. 그러니 나도 사회적 가치를 지닌 것으로 내 마음을 분출했다고 표현해도 될까?

〈나는 엑스세대〉는 나의 어린 시절부터 결혼 전까지 활기 넘치던 시절을 다시 한번 내게 재생시키는 역할을 했다. 이 과정을 통해 나는 확실히 과거의 활기 넘치던 나의 에너지를 일부 찾아내었다. 그렇게 나의 에너지를 되찾으며 두 번째 에세이를 마무리한다. 부디 이 책이 독자에게도 삶의 활력을 찾을 수 있는 책이 되길 희망한다.

나는 엑스세대

초판 1쇄 발행 2022년 7월 12일

지은이 | 글서
펴낸이 | 윤서영
펴낸곳 | 커리어북스
디자인 | 커리어북스 편집부
일러스트 | 정원
편집 | 커리어북스 편집부
인쇄 | 도담프린팅

출판등록 | 제 2016-000071호
주소 | 용인시 수지구 수풍로 90
전화 | 070-8116-8867
팩스 | 070-4850-8006
블로그 | blog.naver.com/career_books
페이스북 | www.facebook.com/career_books
인스타그램 | www.instagram.com/career_books
이메일 | career_books@naver.com

값 14,500원
ISBN 979-11-92160-08-5 (03810)